脳

脳は　大切な　器官です。

舌

●一課　　六ー１ー㊣

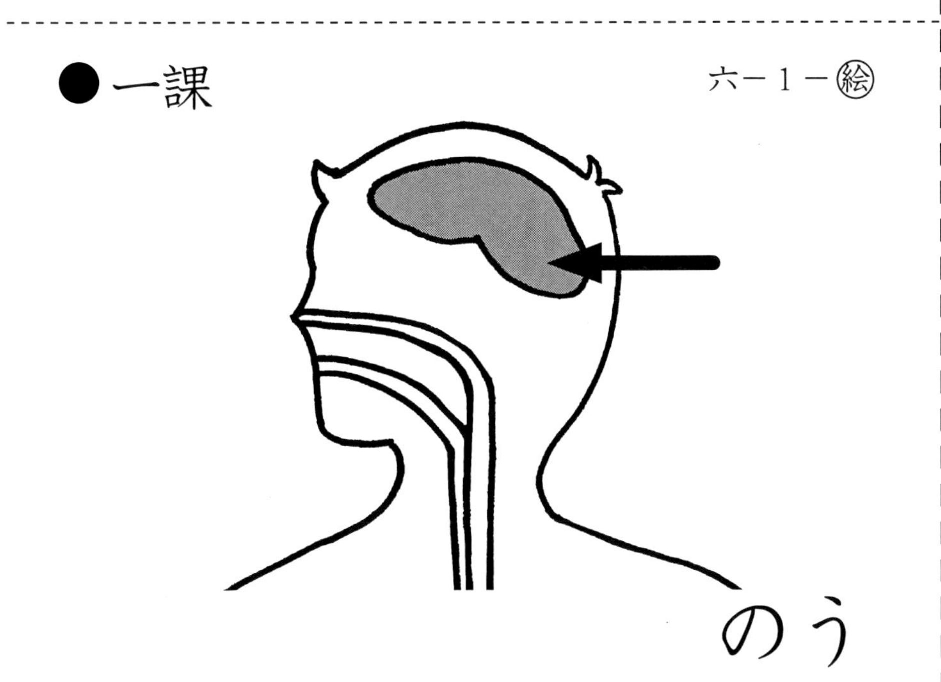

のう

●一課　　六ー２ー㊣

した

骨

牛乳を 飲むと 骨が 強くなる。

食べすぎて 腹が 痛くなった。

●一課　　六－3－㊇

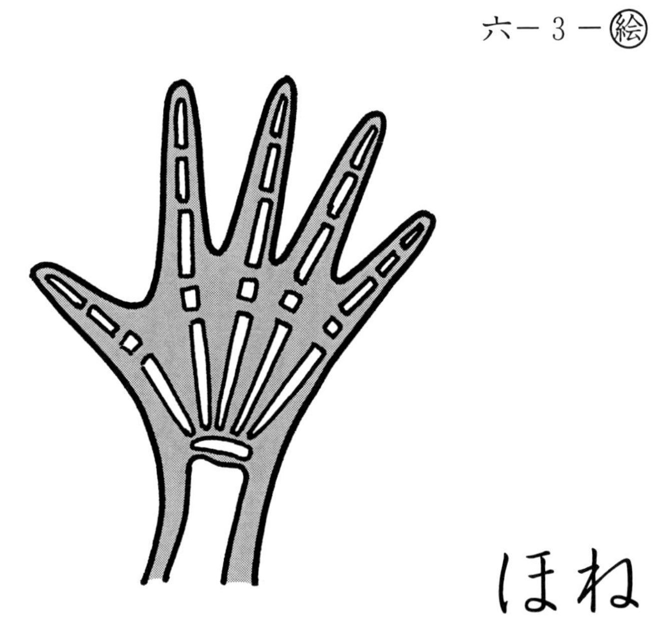

ほね

●一課　　六－4－㊇

はら

胃

●一課

六ー5ー(絵)

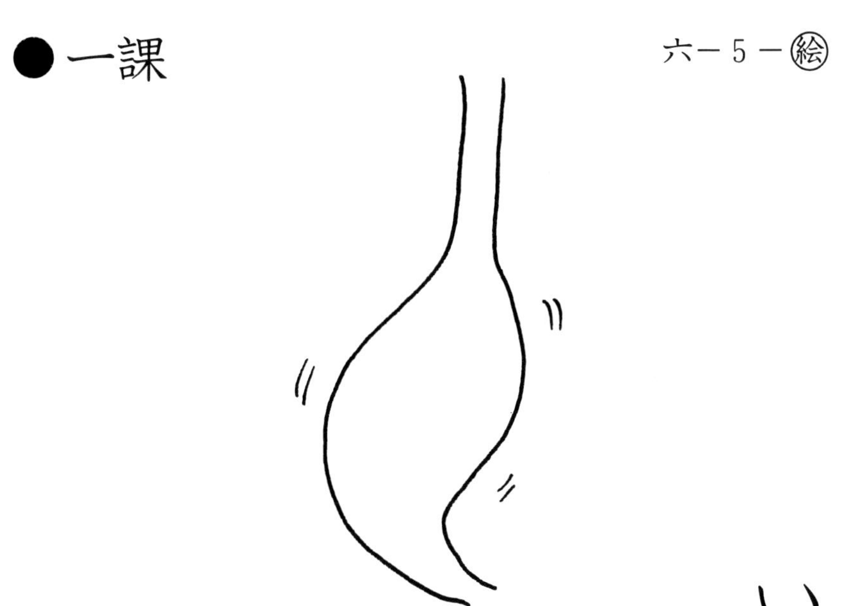

い

●一課

六ー6ー(絵)

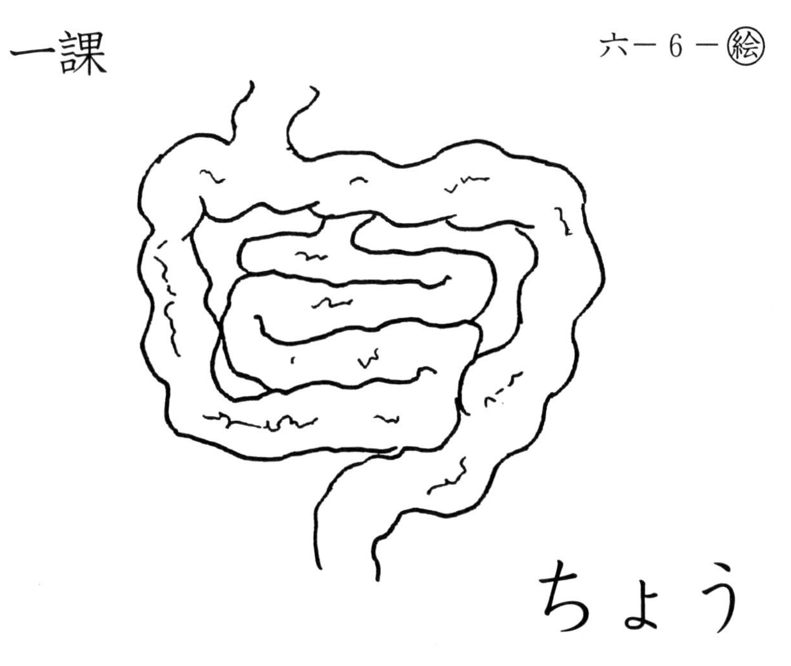

ちょう

背　中

背中が　かゆい。

肺

肺は　二つ　ある。

●一課

六－7－㊫

せなか

●一課

六－8－㊫

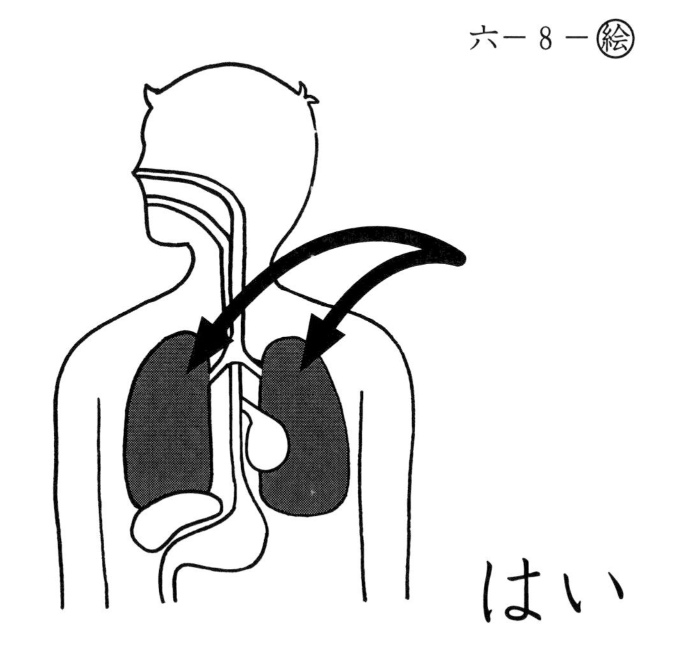

はい

胸

水泳の　選手は　胸が　厚い。

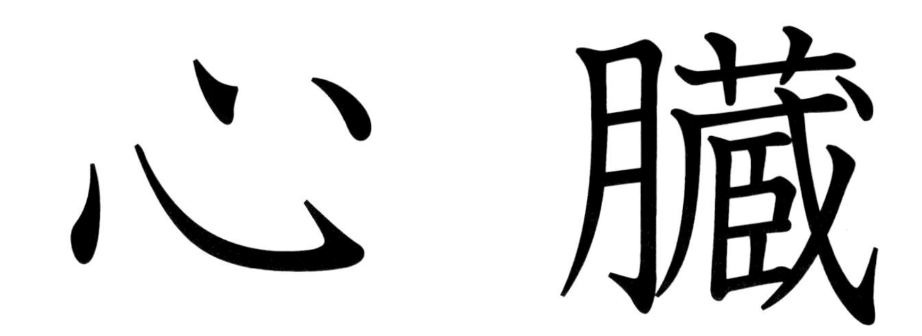

心臓が　ドキドキする。

●一課　　六ー9ー㊫

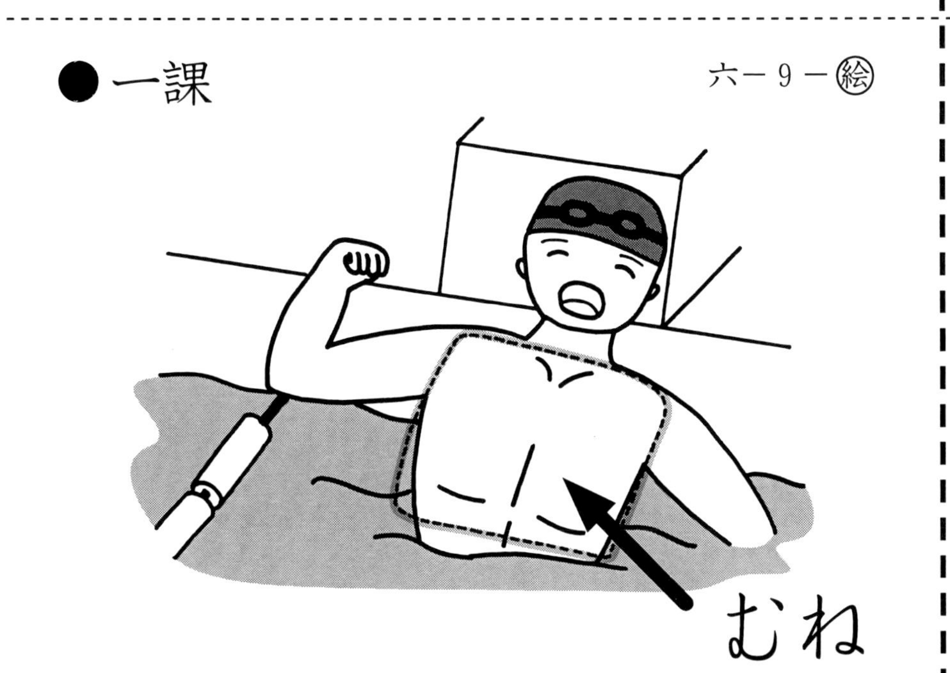

●一課　　六ー10ー㊫

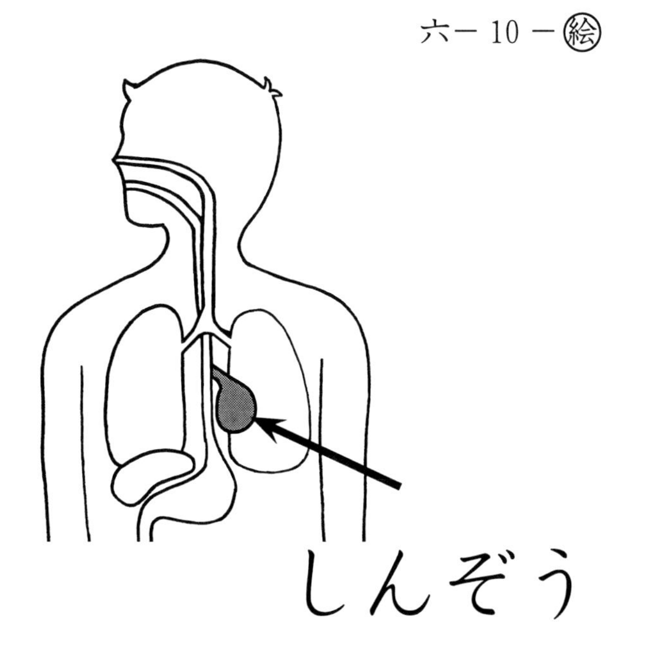

傷

傷に 薬を ぬって ください。

「仁」は 思いやる 心の ことです。

一課

六ー11ー(絵)

きず

●一課

六ー12ー(絵)

じんじゅつ

筋肉

筋肉が ついた。

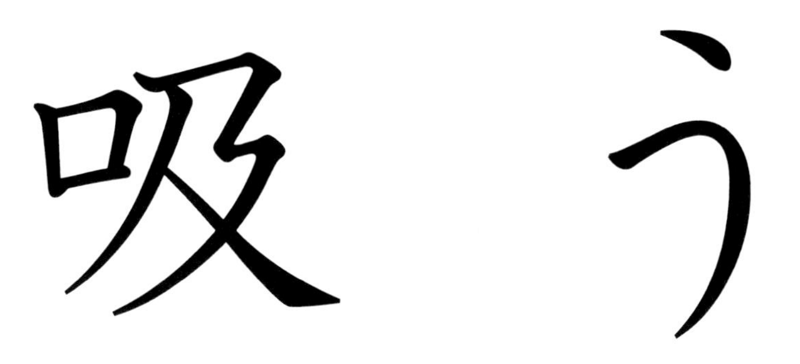

吸う

息を 大きく 吸う。

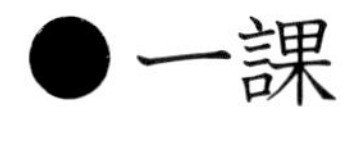

一課

六ー13ー(絵)

きんにく

一課

六ー14ー(絵)

すう

看　病

母が 看病してくれた。

注　射

注射は きらいだ。

●一課　　六－15－(絵)

かんびょう

●一課　　六－16－(絵)

ちゅうしゃ

痛い

注射は 痛い。

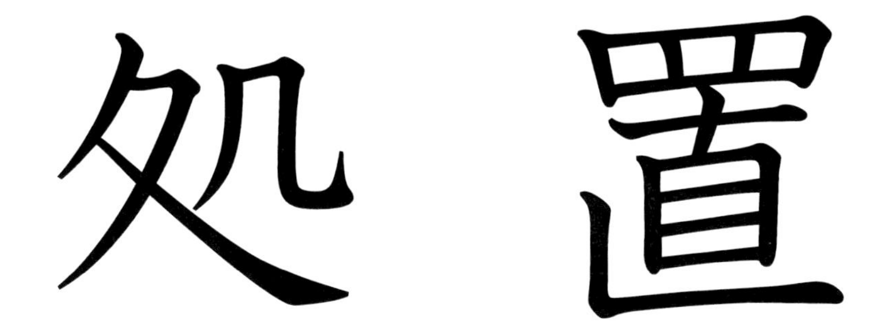

保健室で 処置してもらった。

●一課 六－17－㊡

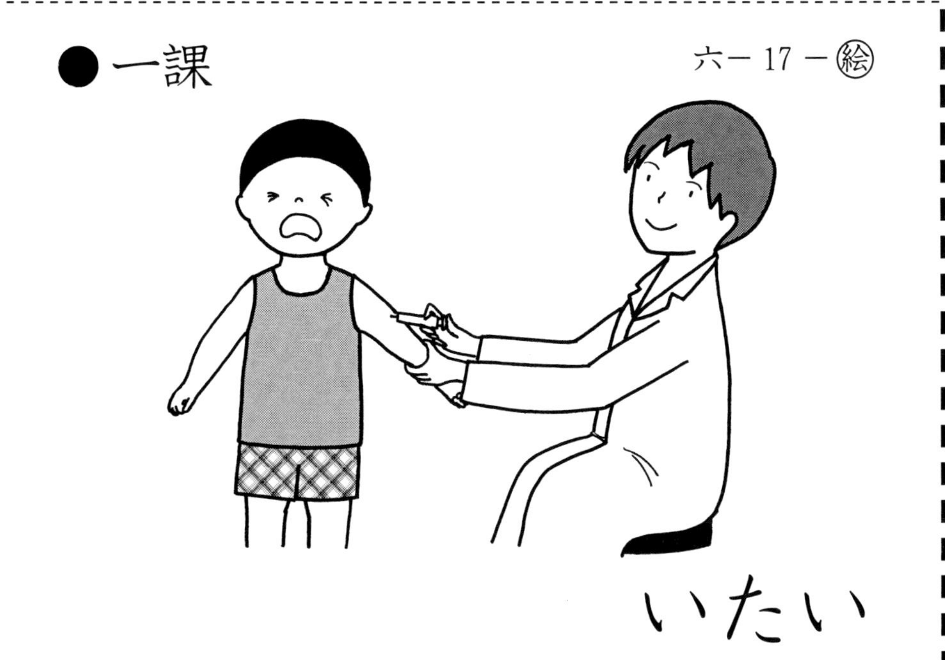

いたい

●一課 六－18－㊡

しょち

体操

毎朝 ラジオ体操を する。

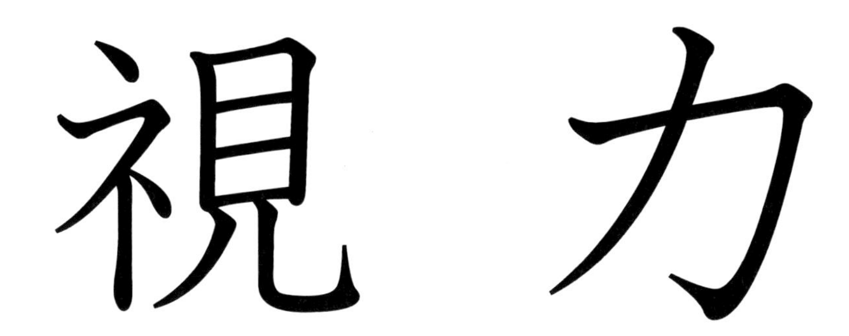

視力検査を する。

●一課

六ー19ー(絵)

たいそう

●一課

六ー20ー(絵)

しりょく

巻く

包帯を 巻いてもらった。

木の ことを 樹木とも いう。

一課

六－21－(絵)

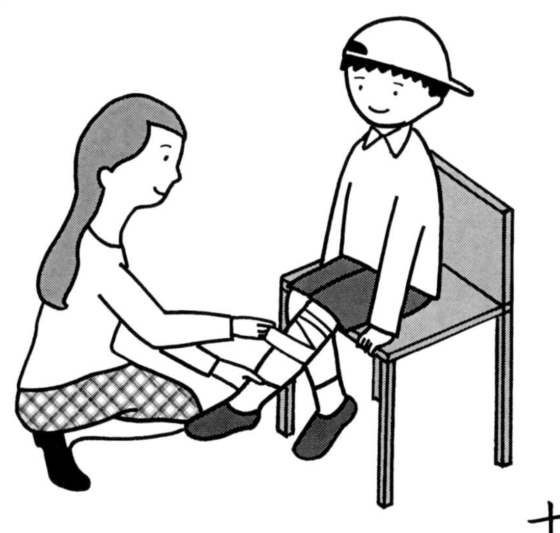

まく

●二課

六－22－(絵)

じゅもく

砂遊びを　する。

深い穴を　のぞく。

●二課　　六－23－㊦

すな

●二課　　六－24－㊦

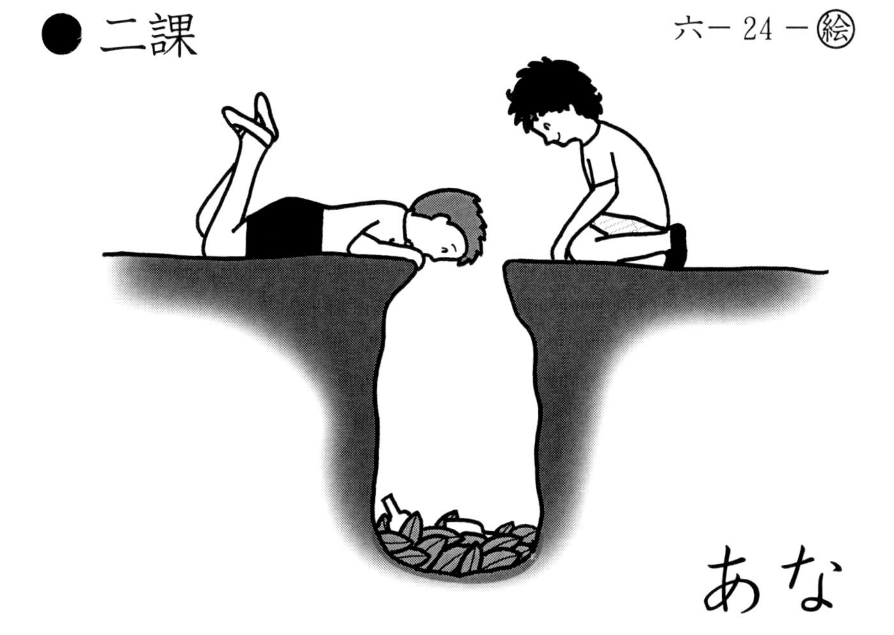

あな

紅葉

紅葉が きれいだ。

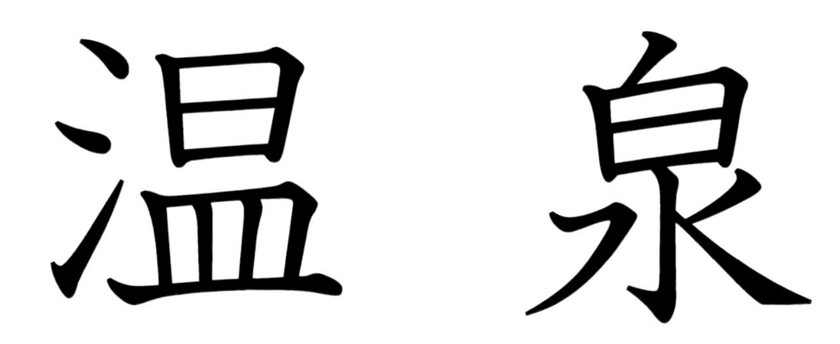

温泉に 行った ことが ある。

●二課 六－25－(絵)

こうよう

●二課 六－26－(絵)

おんせん

水　源

水源は　水が　わくところ。

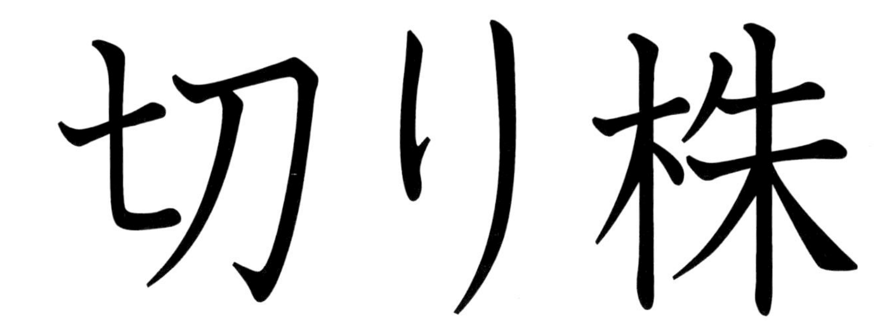

切り株に　すわって　休む。

●二課

六ー27ー㊍

すいげん

●二課

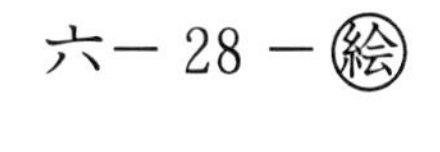

きりかぶ

日が暮れる

日が 暮れる 前に 帰ろう。

磁 石

磁石を 持って 行こう。

●二課　六－29－㊧

ひがくれる

●二課　六－30－㊧

じしゃく

穀　物

穀物から パンや ご飯を 作る。

●二課　　六− 31 −㊓

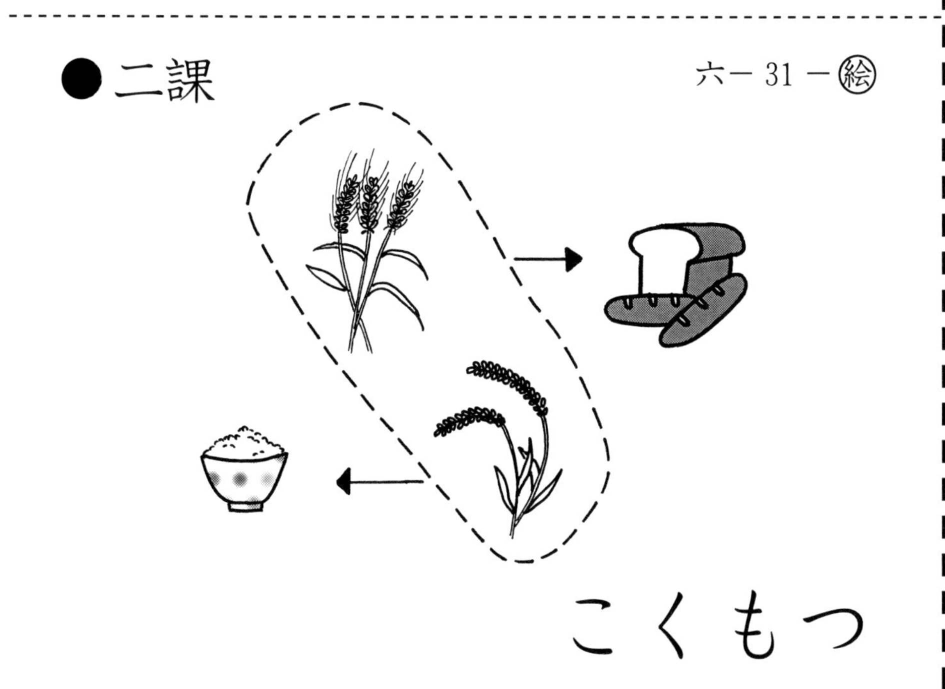

こくもつ

ここから 先は 危険です。

●二課　　六− 32 −㊓

きけん

地層

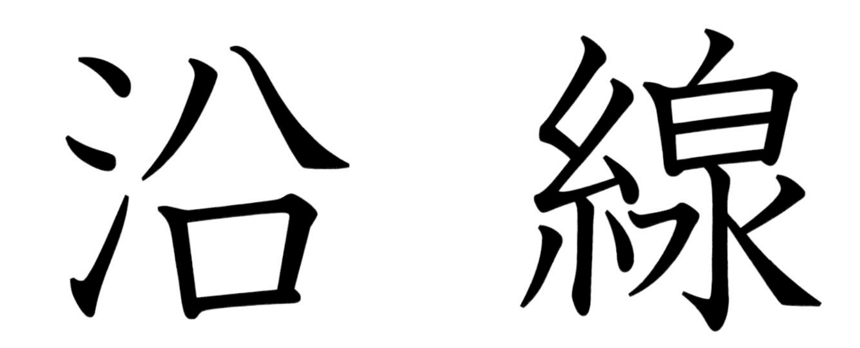

地層を 調べよう。

沿線の 桜が きれいだ。

●二課　　六－33－㊎

ちそう

●二課　　六－34－㊎

えんせん

黒潮

黒潮に 乗って 魚が 来る。

今年の 夏の 暑さは 異常だ。

●二課 六ー35ー(絵)

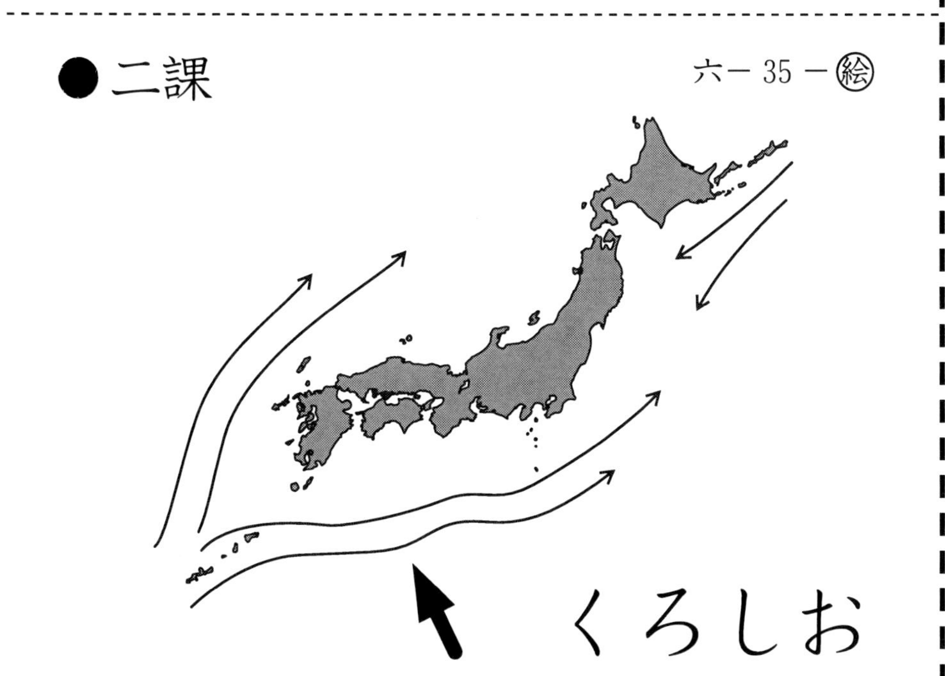

●二課 六ー36ー(絵)

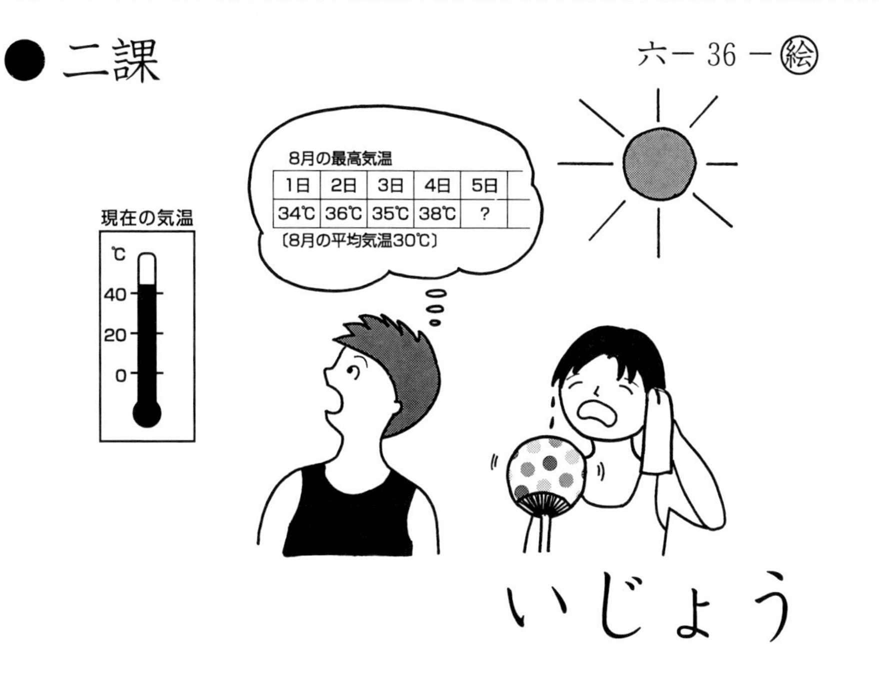

暖かい

たき火は 暖かい。

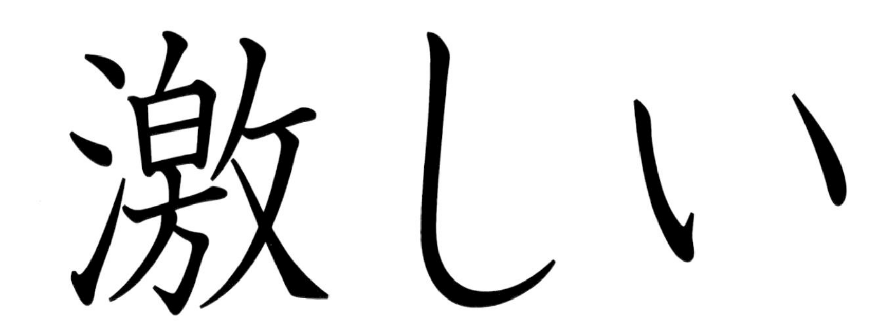

激しい 風で かさが こわれた。

●二課 六－37－㊍

あたたかい

●二課 六－38－㊍

はげしい

降　る

雨が 降っています。

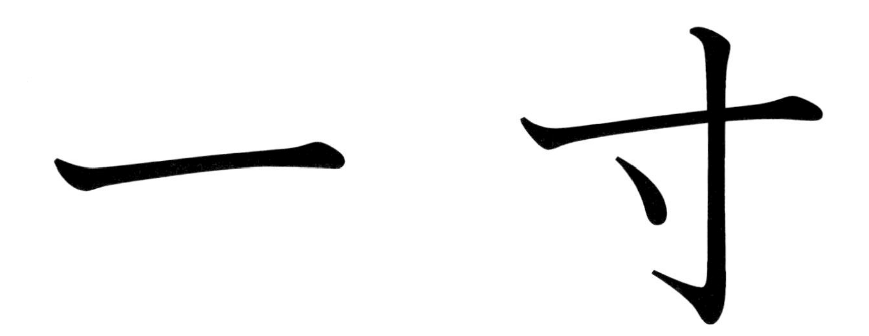

一寸は 三センチより 長い。

●二課

六ー39ー㊍

ふる

●三課

六ー40ー㊍

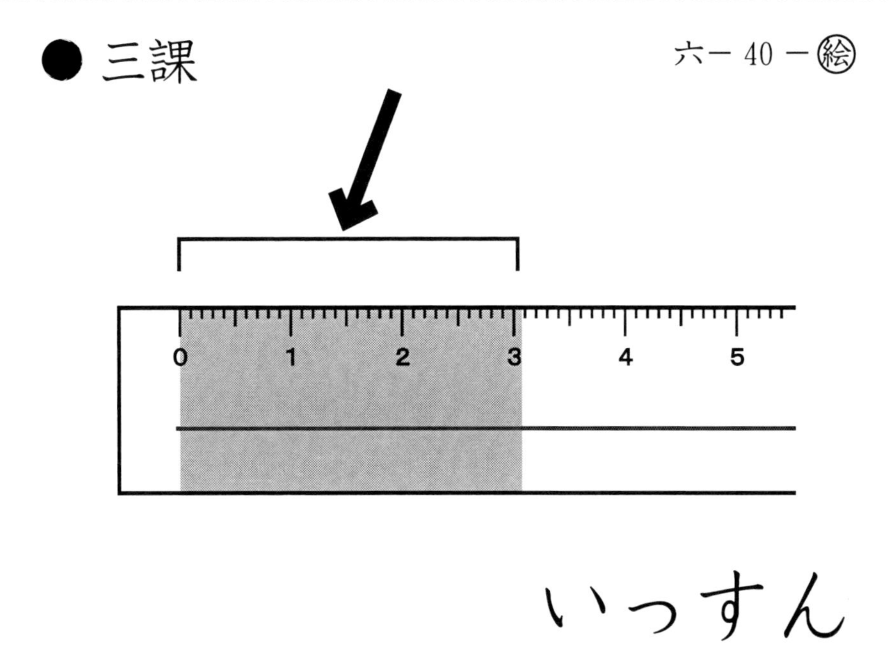

いっすん

お　宅

先生の お宅は 新しい。

親孝行をして ほめられた。

● 三課　　六－41－㊎

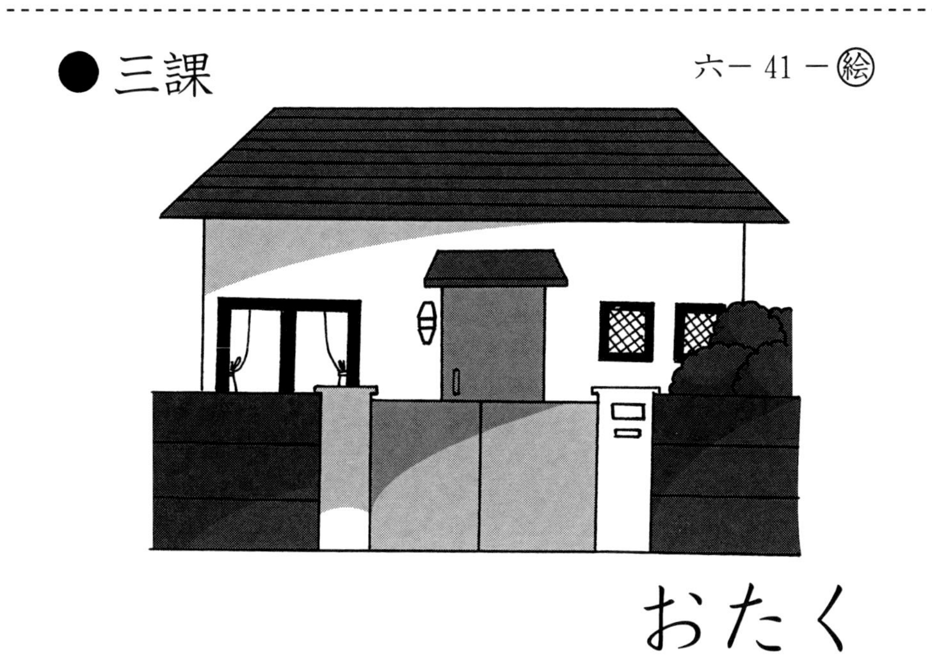

おたく

● 三課　　六－42－㊎

こうこう

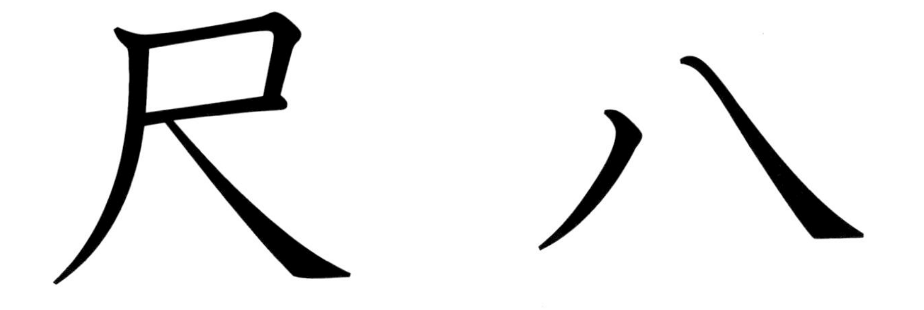

尺八は 竹で 作る。

オリンピックで 優勝したい。

●三課

六ー43ー㊍

しゃくはち

●三課

六ー44ー㊍

ゆうしょう

純　白

純白の　ドレスを　着ている。

誕生日

誕生日の　プレゼント

●三課　　六ー45ー㊍

じゅんぱく

●三課　　六ー46ー㊍

たんじょうび

誠実

誠実な 人に 投票しよう。

る

勉強しない 困った子だ。

● 三課

六ー 47 ー㊎

せいじつ

● 三課

六ー 48 ー㊎

こまる

認める

ぼくの 力を 認めてもらった。

三課

六－49－㊍

みとめる

供える

お花を 供える。

●三課

六－50－㊍

そなえる

染める

かみの毛を 染める。

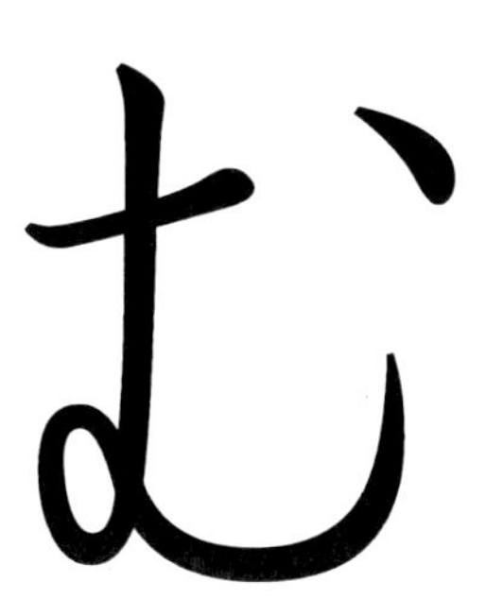

手を 合わせて 拝む。

●三課　　六ー51ー㊦

そめる

●三課　　六ー52ー㊦

おがむ

厳しい

あの先生は 厳しい。

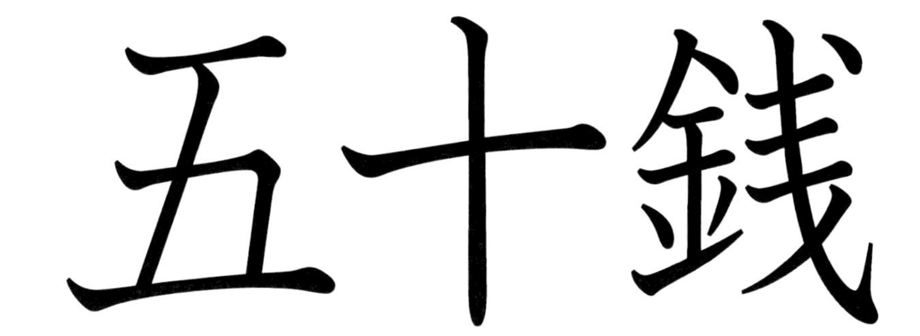

「銭」は昔のお金です。

● 三課

六－53－㊕

きびしい

● 三課

六－54－㊕

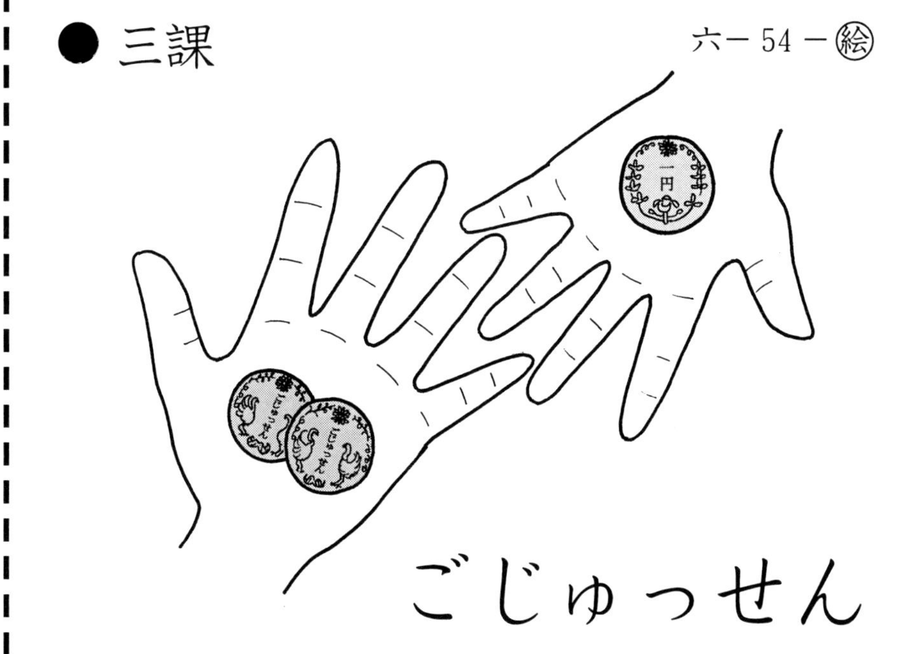

ごじゅっせん

承知

お母さんが承知してくれた。

郵便局の 人が 手紙を 配る。

●三課

六－55－(絵)

しょうち

●四課

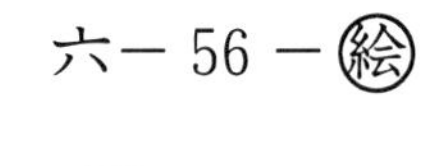
六－56－(絵)

ゆうびん

通　訳

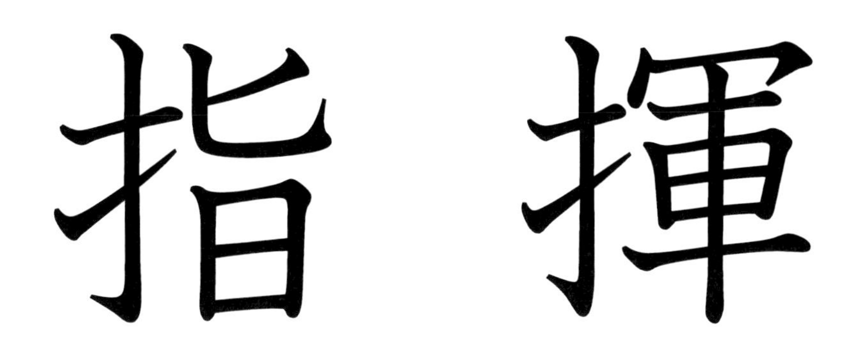

通訳がいないと　ことばが分からない。

オーケストラを　指揮する。

●四課　　六－57－(絵)

つうやく

●四課　　六－58－(絵)

しき

警　官

警官に 道を きく。

社長が 従業員に 話をする。

●四課

六－59－(絵)

けいかん

●四課

六－60－(絵)

じゅうぎょういん

秘　書

社長の 予定は 秘書が 作る。

消防署

消防署に 消防車が ある。

●四課

六－61－㊇

ひしょ

●四課

六－62－㊇

しょうぼうしょ

専門

父の 専門は コンピューターだ。

党派をこえて 協力する。

●四課

六－63－㊓

せんもん

●五課

六－64－㊓

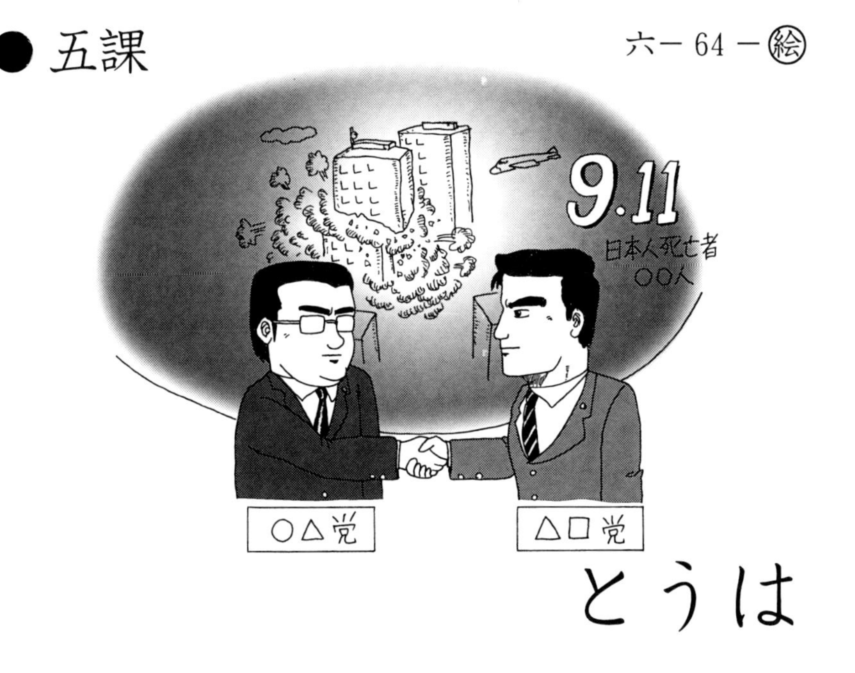

とうは

内閣

新しい 内閣が 誕生した。

アフリカの 子どもの 死亡率

五課　　六－65－(絵)

ないかく

五課　　六－66－(絵)

しぼうりつ

憲法

今の 憲法は 一九四七年に できた。

選挙の 権利は 二〇才から。

● 五課　　六－67－㊕

けんぽう

● 五課　　六－68－㊕

けんり

救　済

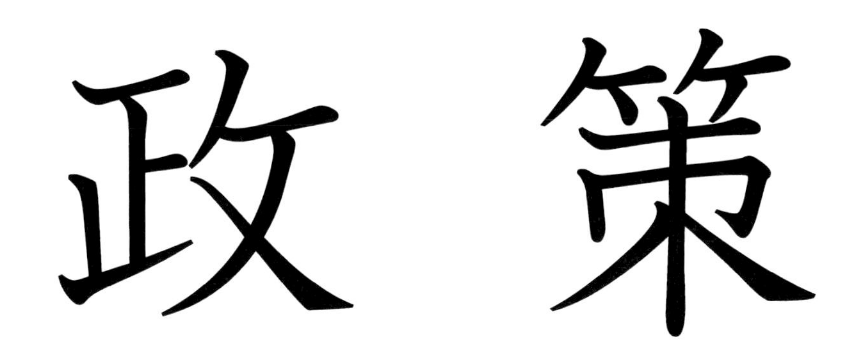

政　策

被害に　あった　人々を　救済する。

経済政策を　発表する。

● 五課　　六－69－㊓

きゅうさい

● 五課　　六－70－㊓

せいさく

就任式

就任式で スピーチをした。

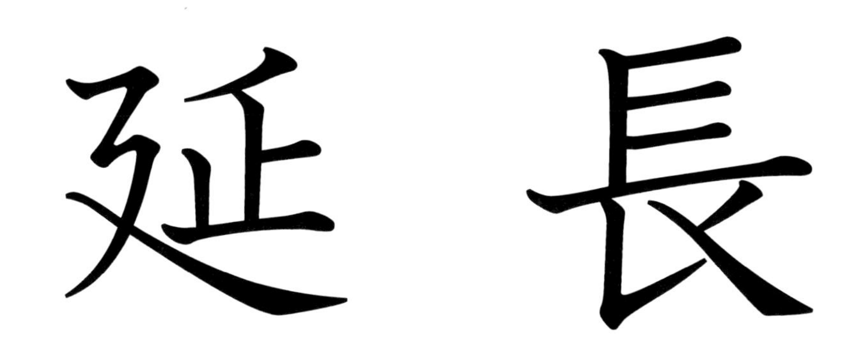

延　長

国会を 30 日間 延長する

五課

六－71－㊍

しゅうにんしき

● 五課

六－72－㊍

えんちょう

討　論

討論会

納　税

納税は 国民の 義務。

● 五課　　六－73－㊎

とうろん

● 五課　　六－74－㊎

のうぜい

批　判

政策を　批判する。

我　々

我々とは　私たちの　ことです。

● 五課　　六－75－㊎

ひはん

● 五課　　六－76－㊎

われわれ

都　庁

都庁を　見学した。

法　律

法律は　憲法を　もとにして　作る。

● 五課

六－77－㊫

とちょう

● 五課

六－78－㊫

ほうりつ

裁判

裁判の 結果、有罪に なった。

衆議院

衆議院の 定員は 四百六十五人。

● 五課

六ー79ー㊡

さいばん

● 五課

六ー80ー㊡

しゅうぎいん

蚕

蚕は まゆを 作ります。

きれいな 絹の スカーフ

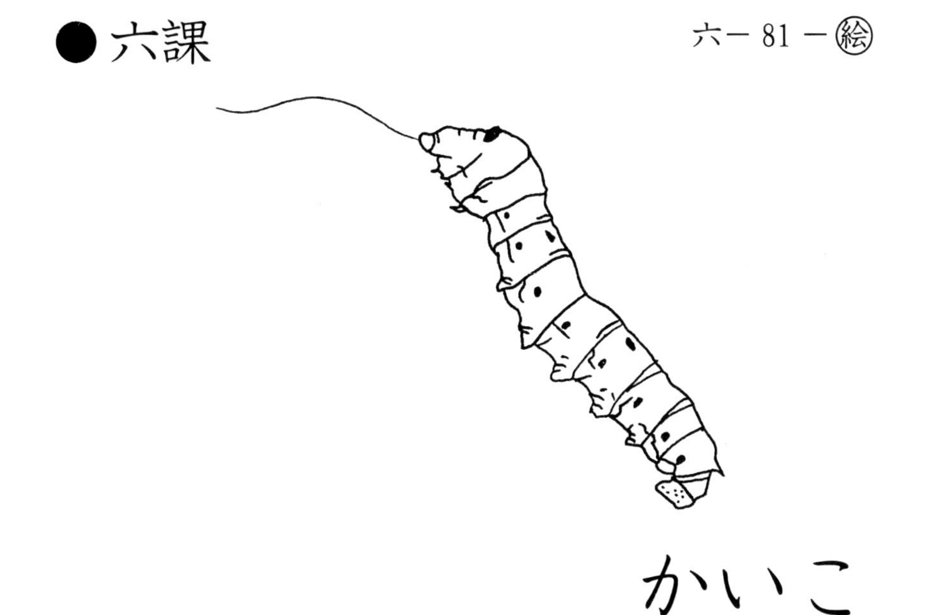

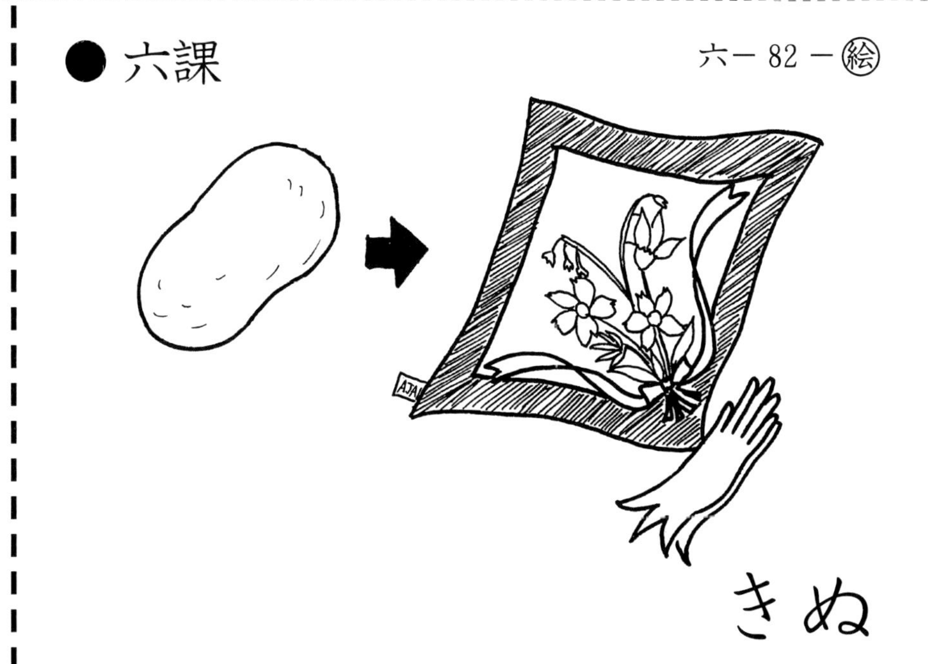

郷里

郷里が なつかしい。

日本の 人口密度は 高い。

●六課 六ー83ー㊎

きょうり

●六課 六ー84ー㊎

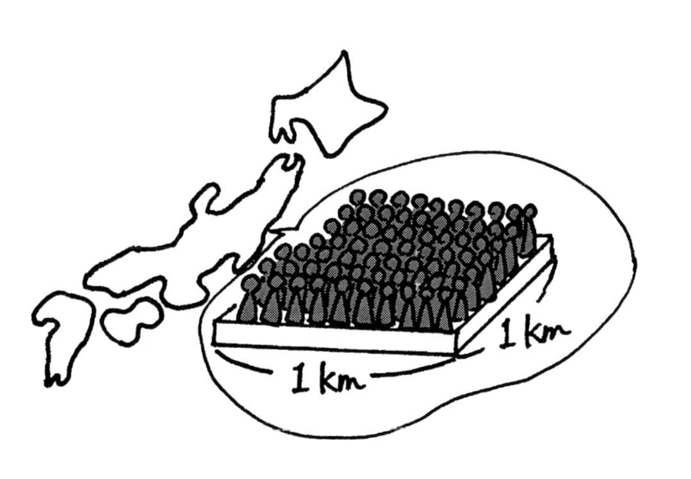

みつど

推移

人口の 推移

除雪

除雪車が 来た。

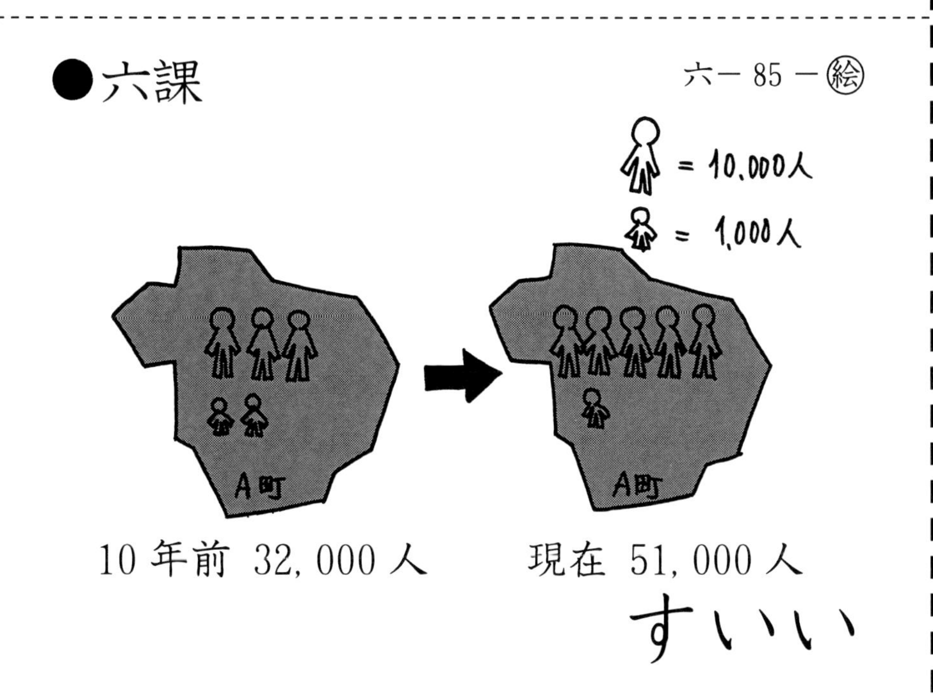

鋼　鉄

鋼鉄で　ビルを　建てる。

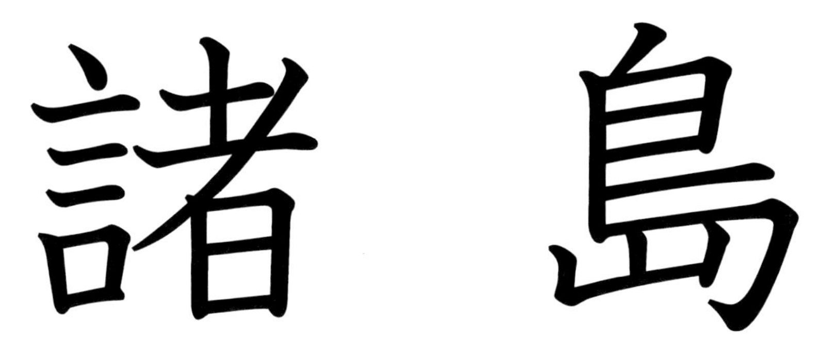

フィリピン諸島

●六課　　六－87－㊋

こうてつ

●六課　　六－88－㊋

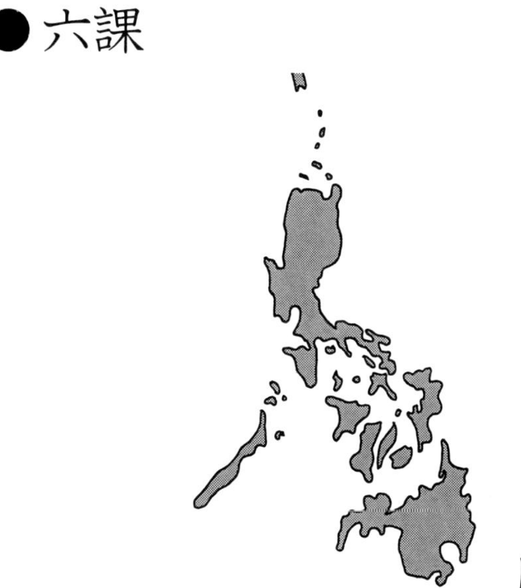

しょとう

訪　問

外国の 小学生の 訪問

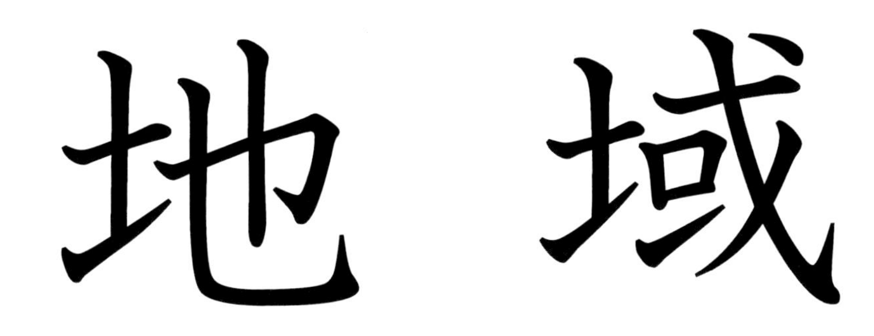

地　域

農業、商業、工業の 地域。

●六課

六ー 89 ー(絵)

ほうもん

●六課

六ー 90 ー(絵)

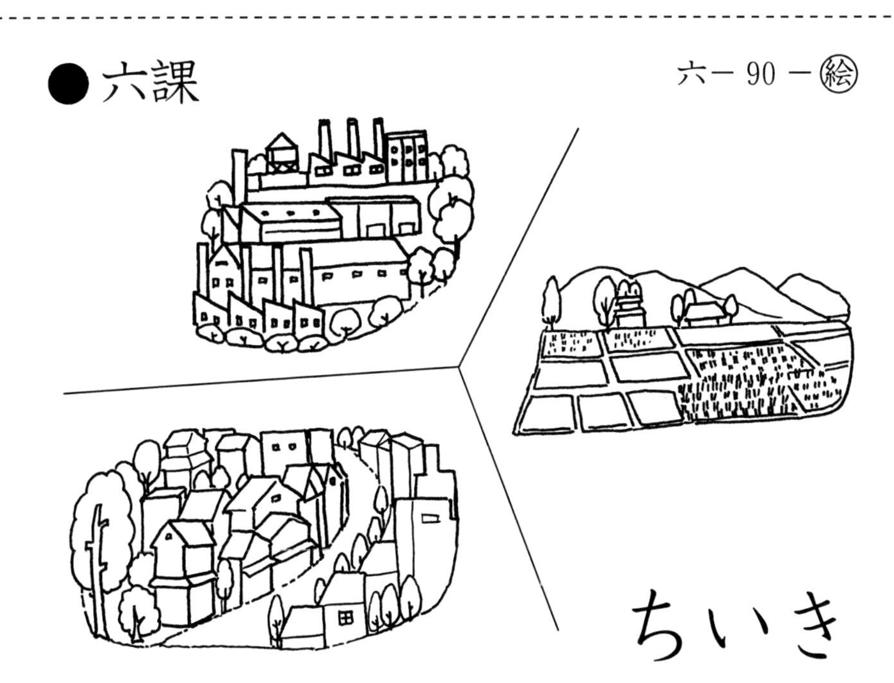

ちいき

幕

幕を 開ける。

劇で 女王様の 役を した。

●七課 六－91－㊋

まく

●七課 六－92－㊋

げき

演　奏

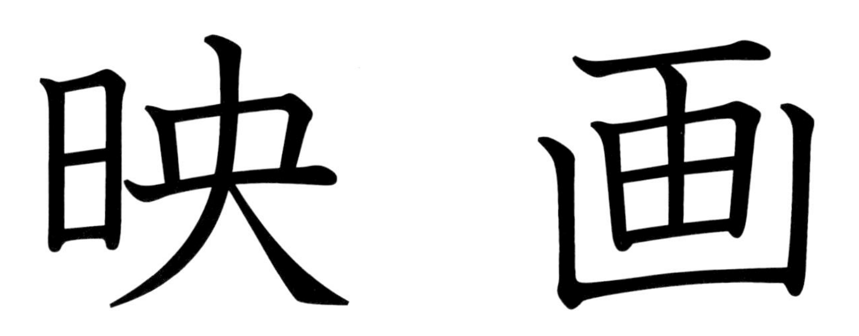

ピアノの　演奏会

映画は　おもしろい。

●七課　　六ー93ー㊜

えんそう

●七課　　六ー94ー㊜

えいが

皇后陛下

天皇（てんのう）陛下と　皇后陛下

服　装

いろいろな 服装

●七課

六－95－(絵)

こうごうへいか

●七課

六－96－(絵)

体育　　卒業式

ふくそう

展覧会

絵の 展覧会に 行く。

宇 宙

宇宙は 広い。

●七課

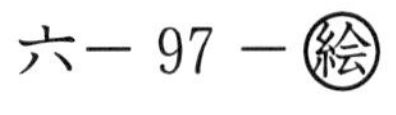
六ー97ー㊎

てんらんかい

●七課

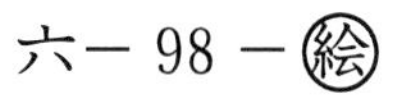
六ー98ー㊎

うちゅう

太陽系

地球は 太陽系の 中にある。

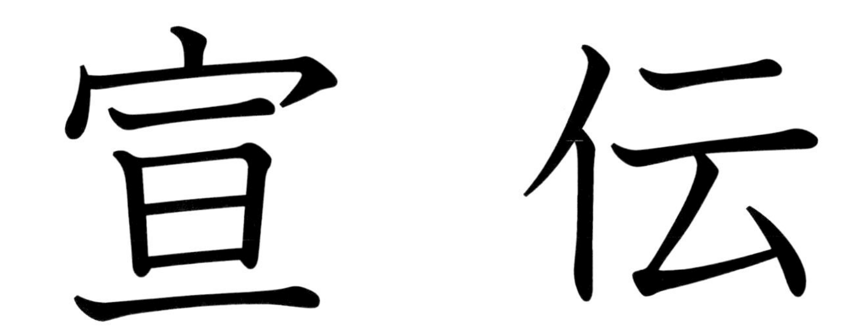

宣　伝

ビラを くばって 宣伝をする。

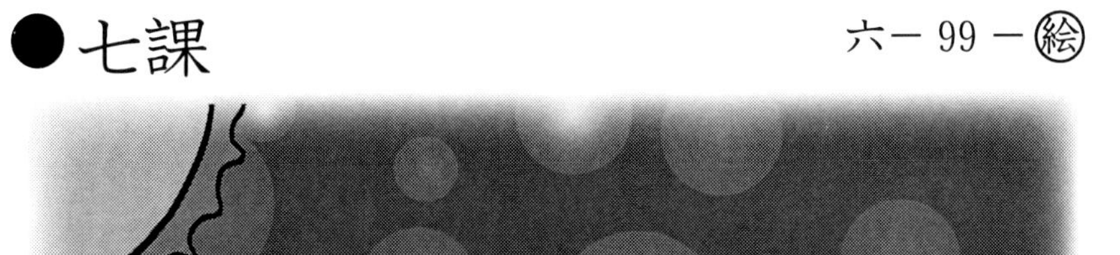

●七課　六－99－㊛

たいようけい

●七課　六－100－㊛

せんでん

興奮

サッカーの 試合で 興奮した。

敵と戦う。

こうふん

●七課　　六ー102ー絵

てき

土俵

朗読

大きい声で 朗読する。

●七課

六ー103ー(絵)

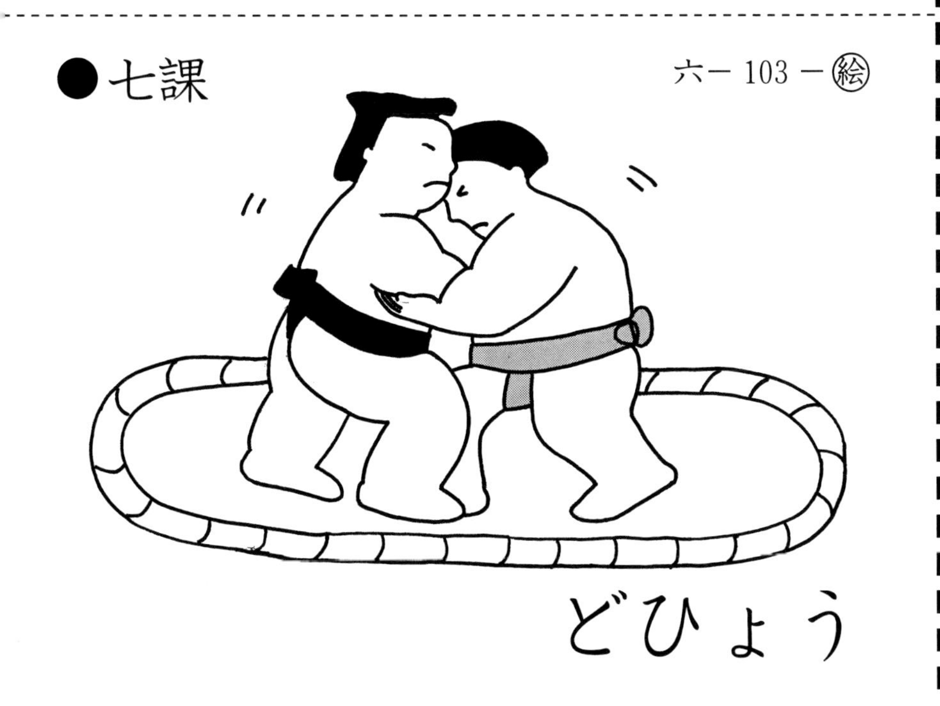

どひょう

●八課

六ー104ー(絵)

ろうどく

誤　字

誤字に　気を　つけよう。

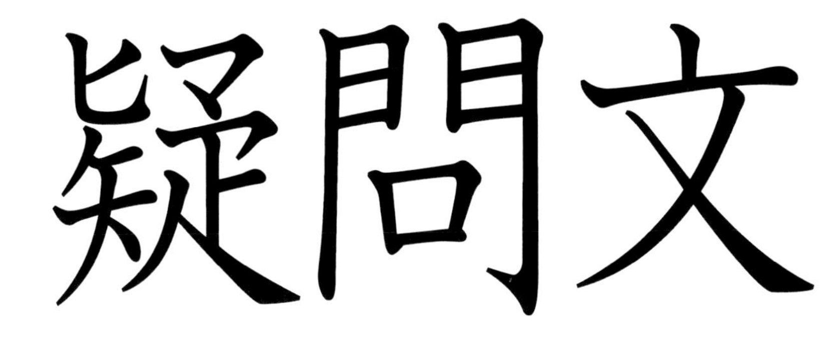

疑問文に　答える。

●八課　六ー105ー㊇

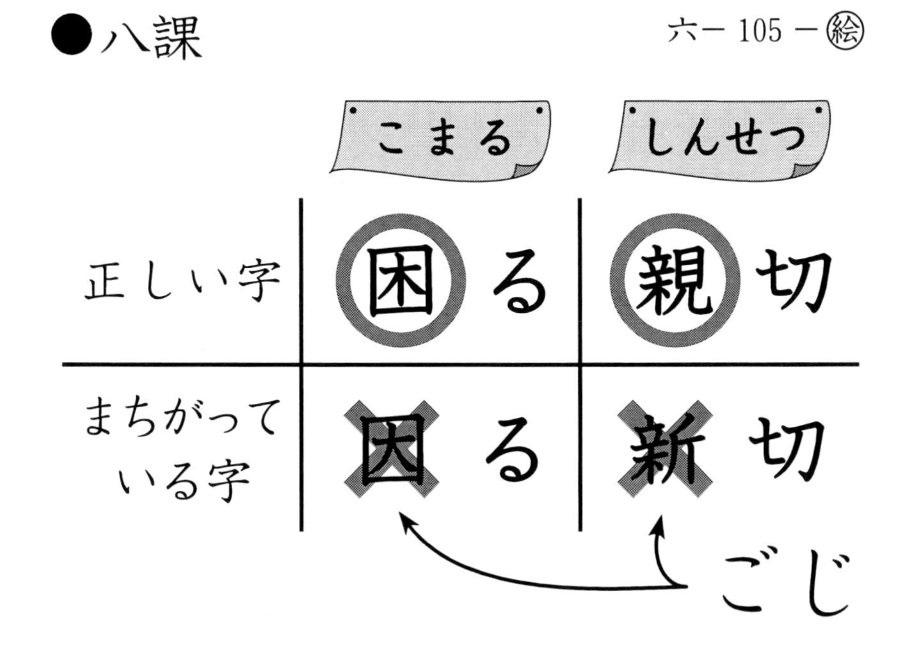

●八課　六ー106ー㊇

否定文

否定文を　書く。

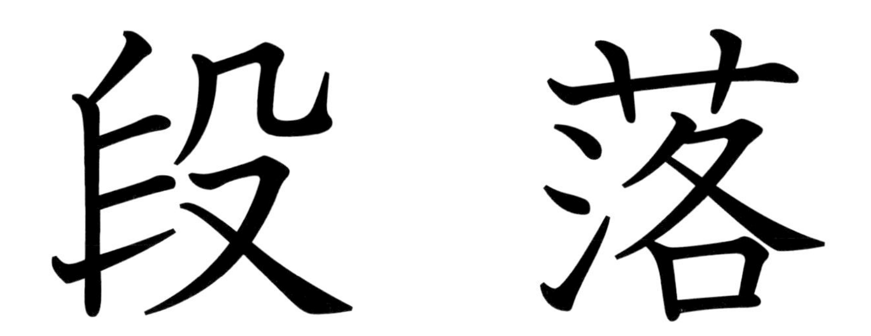

段落に　気を　つける。

●八課　　六ー107ー㊧

●八課　　六ー108ー㊧

著　者

著者に　サインを　もらう。

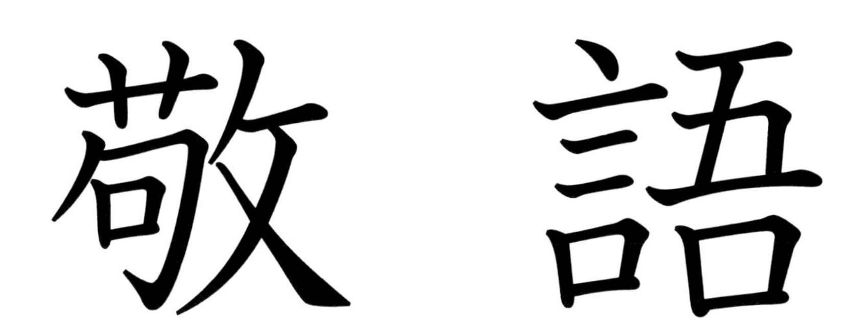

敬語を　使って　話す。

●八課　　六ー109ー㊙

ちょしゃ

●八課　　六ー110ー㊙

けいご

独創的

独創的な　絵

●八課　　六ー111ー(絵)

どくそうてき

九　冊

全部で　九冊です。

●八課　　六ー112ー(絵)

きゅうさつ

助　詞

助詞を 正しく 書く。

熟　語

熟語を 作る。

●八課　　六－113－㊍

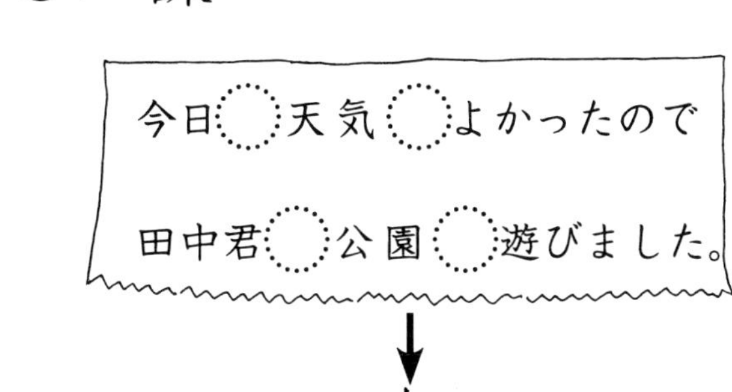

じょし

●八課　　六－114－㊍

じゅくご

俳句

俳句は 五・七・五です。

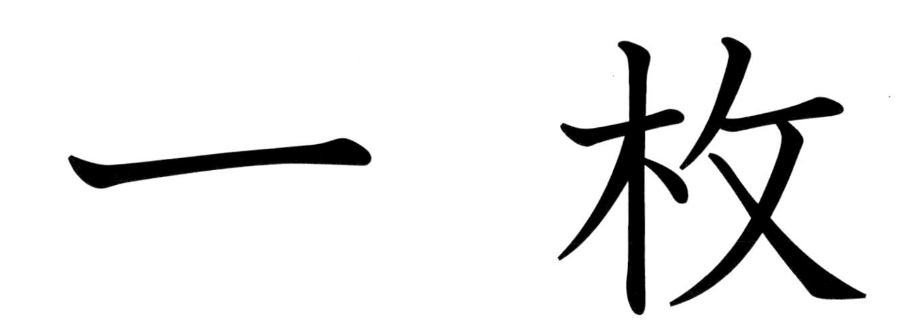

お皿は 一枚・二枚と 数えます。

●八課

六－115－㊓

はいく

●九課

六－116－㊓

いちまい

頂　点

三角形の　頂点

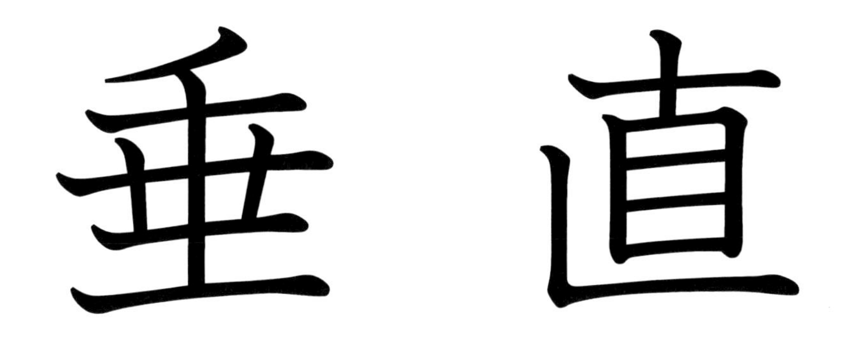

垂直の　線を　かく。

●九課

六ー117ー(絵)

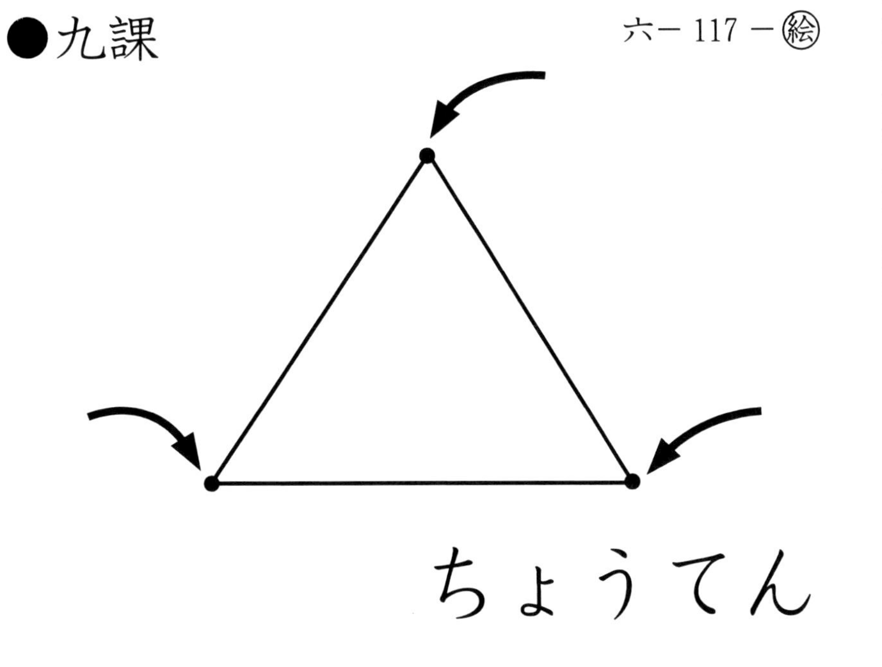

ちょうてん

●九課

六ー118ー(絵)

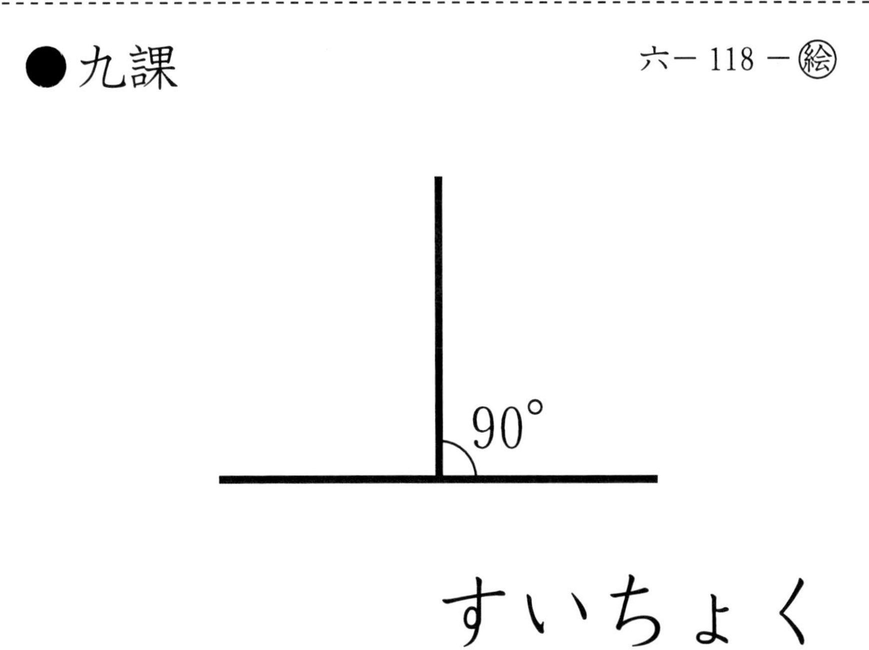

すいちょく

縦

四角形には 縦が 二本ある。

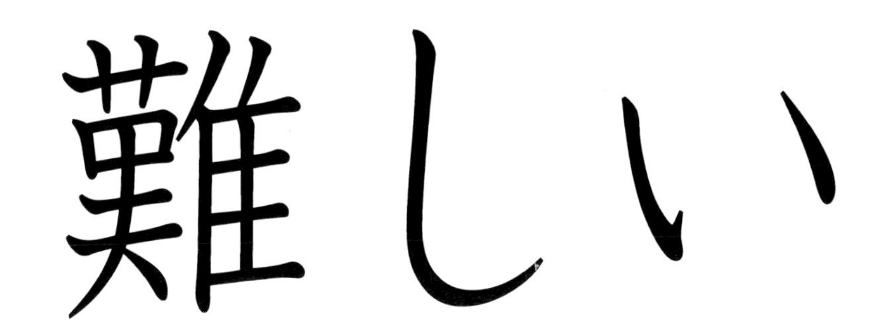

難しい 問題

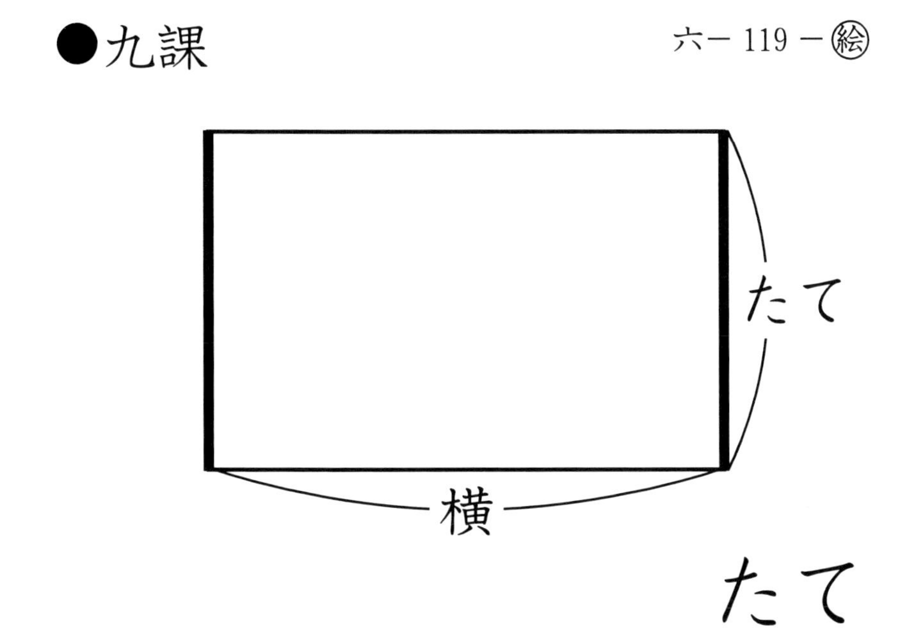

簡 単

簡単な 問題

絵を 縮小する。

九課 六ー121ー㊫

かんたん

●九課 六ー122ー㊫

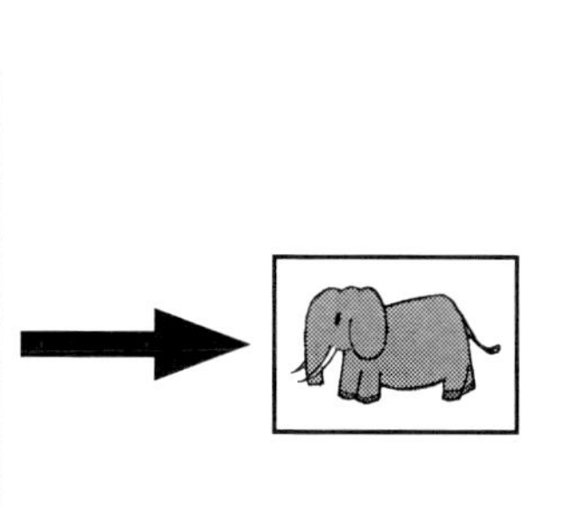

しゅくしょう

拡　大

絵を　拡大する。

宗　教

世界の　三大宗教って　何。

●九課

六－123－㊫

かくだい

●十課

六－124－㊫

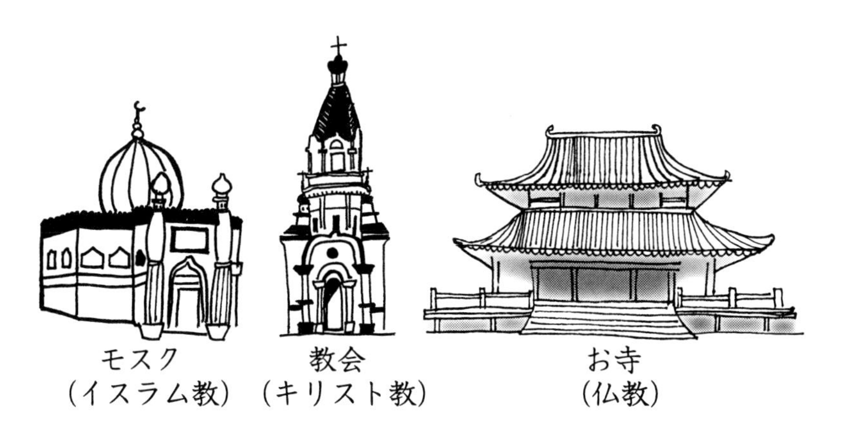

しゅうきょう

聖　火

聖火台に　点火する。

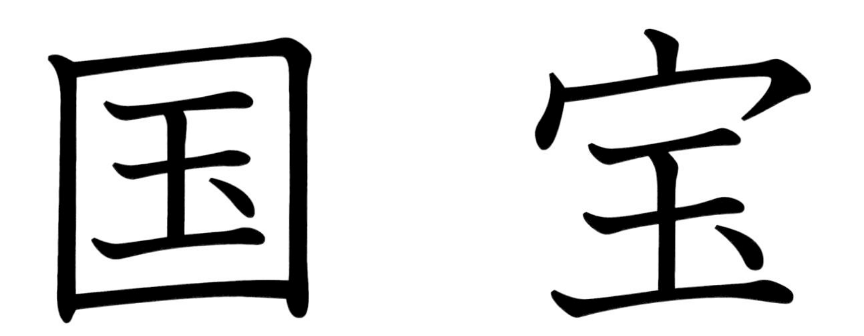

国宝の　お寺は　たくさんある。

●十課　　六－125－㊎

せいか

●十課　　六－126－㊎

こくほう

貴族

ひらがなは 貴族の 時代に できた。

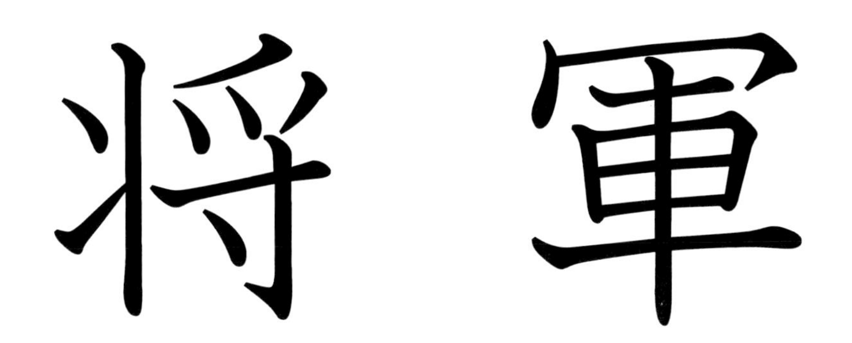

ナポレオンは 有名な 将軍だ。

●十課

六－127－㊎

きぞく

●十課

六－128－㊎

しょうぐん

革命

革命で 新しい政治を する。

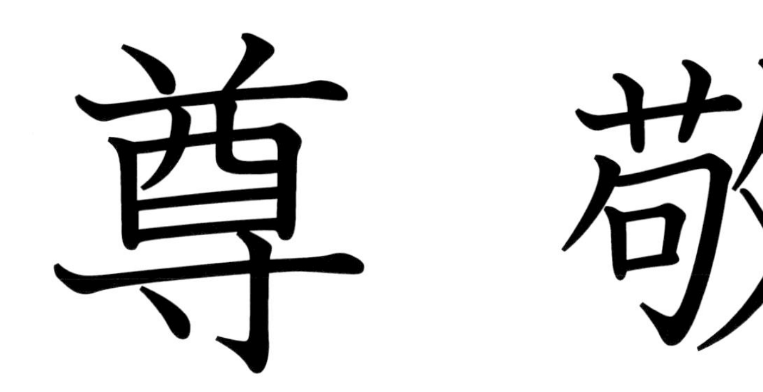

ぼくが 尊敬する人は アインシュタイン。

●十課

六－129－㊫

かくめい

●十課

六－130－㊫

そんけい

加　盟

国連に 加盟している国は 百九十以上。

蒸気機関車が 走っている。

●十課　　六－131－㊇

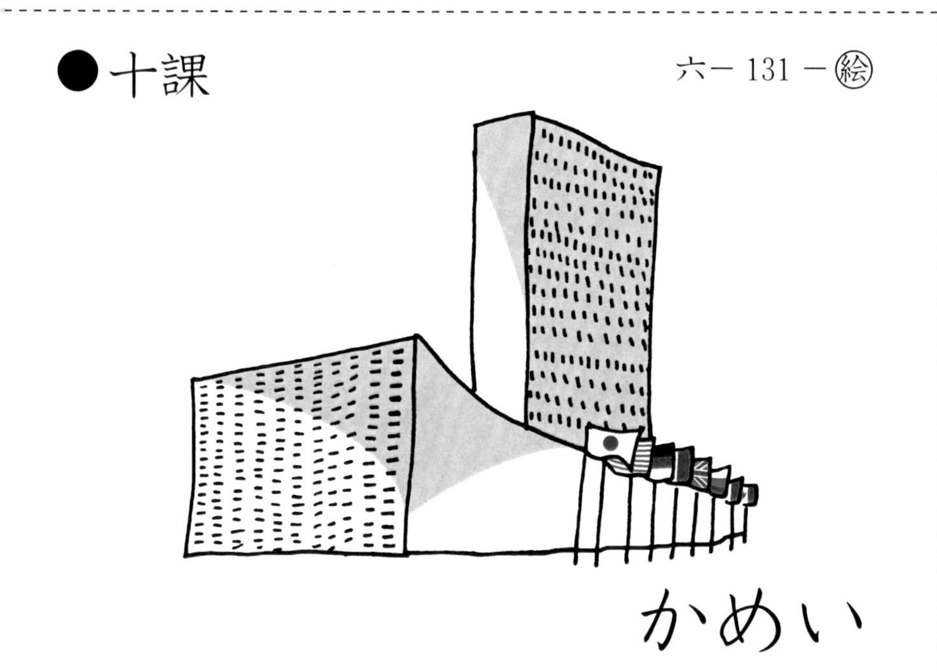

かめい

●十課　　六－132－㊇

じょうき

遺産

世界文化遺産は 今七百五十四か所だ。

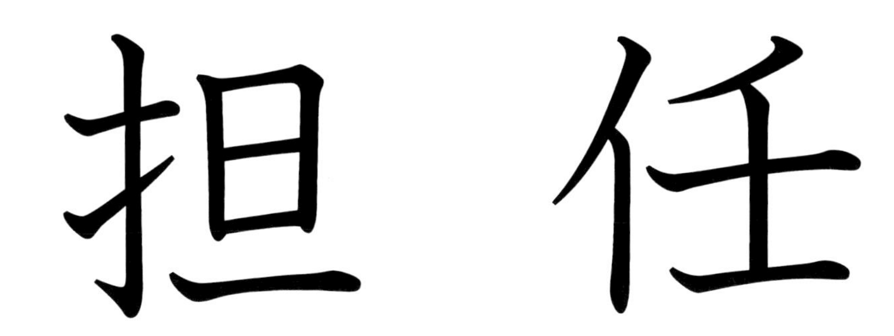

わたしの 担任は 田中先生です。

●十課

六－133－㊎

いさん

●十一課

六－134－㊎

たんにん

若い

元気な 若い 先生

時間割

毎日 時間割を 見て、準備する。

●十一課

六ー 135 ー㊍

わかい

●十一課

六ー 136 ー㊍

	月	火	水	木	金
1	理科	算数	理科	総合	音楽
2	算数	国語	理科	総合	体育
3	国語	家庭科	社会	算数	図工
4	体育	社会	算数	国語	算数
5	社会	音楽	国語	道徳	国語
6	学級会			クラブ	

じかんわり

自己
しょうかい

タオちゃんが 自己しょうかいした。

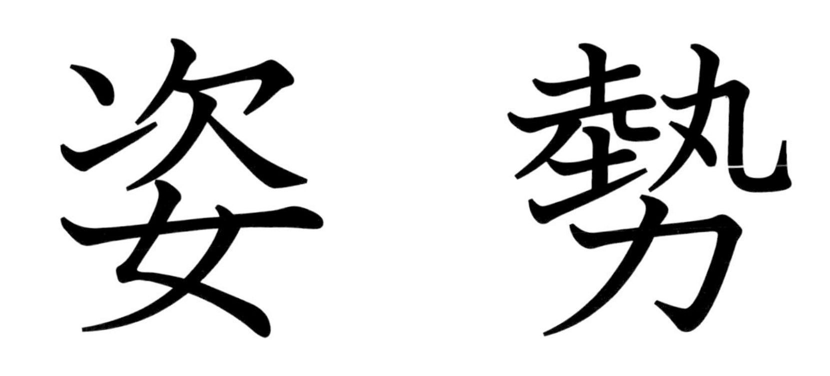

姿勢を 正しく しよう。

六ー 137 ー(絵)

じこ

●十一課　　六ー 138 ー(絵)

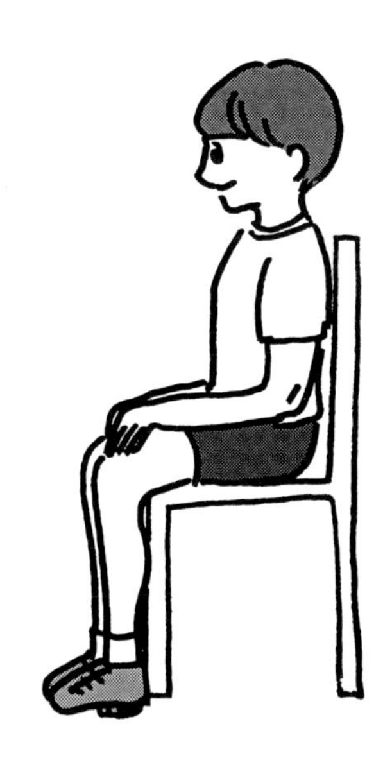

しせい

座ぶとん

きれいな 座ぶとん

鏡で 私の 顔を 見る。

六ー 139 ー㊓

ざぶとん

●十一課

六ー 140 ー㊓

わたし

忠告

先生の 忠告を 聞こう。

机の 上を 整理した。

●十一課

六－141－(絵)

ちゅうこく

●十一課

六－142－(絵)

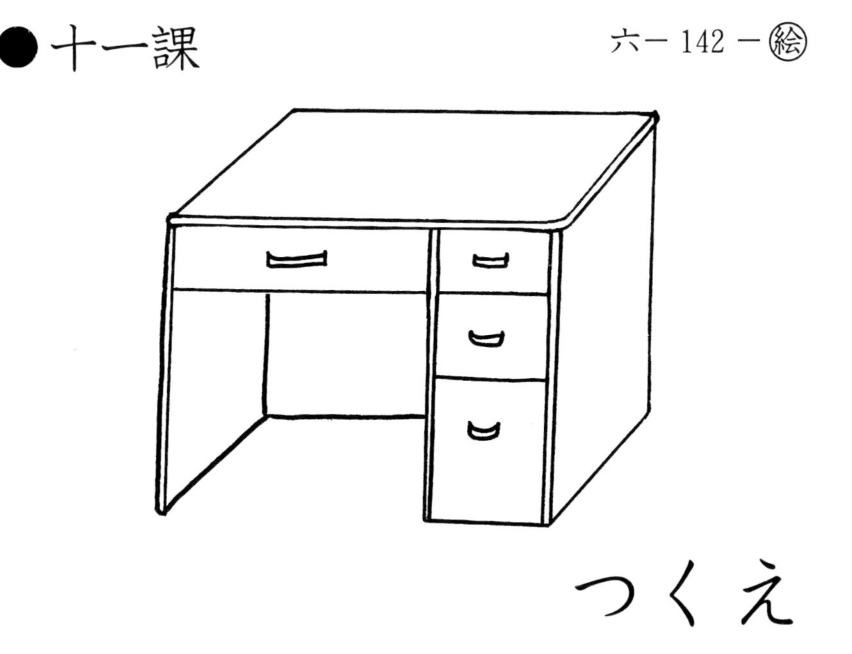

つくえ

忘れる

宿題を　忘れちゃった。

る

カレーを　お皿に　盛る。

●十一課　　六ー 143 ー(絵)

わすれる

●十一課　　六ー 144 ー(絵)

もる

鉄　棒

鉄棒が　うまくできない。

勉強する　意欲を　持とう。

●十一課　　六ー145ー(絵)

てつぼう

●十一課　　六ー146ー(絵)

いよく

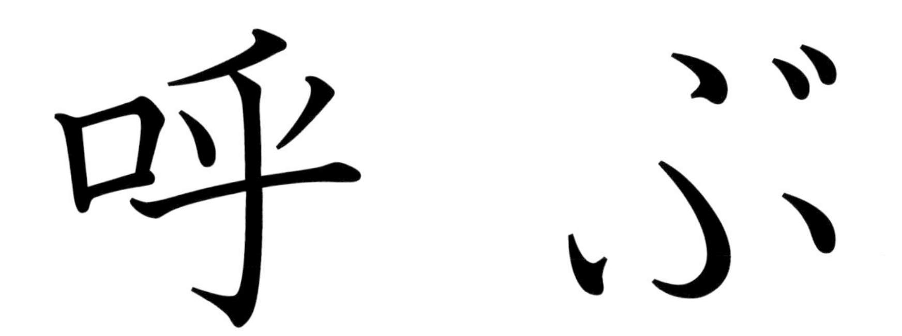

コーチが 呼んでいる。

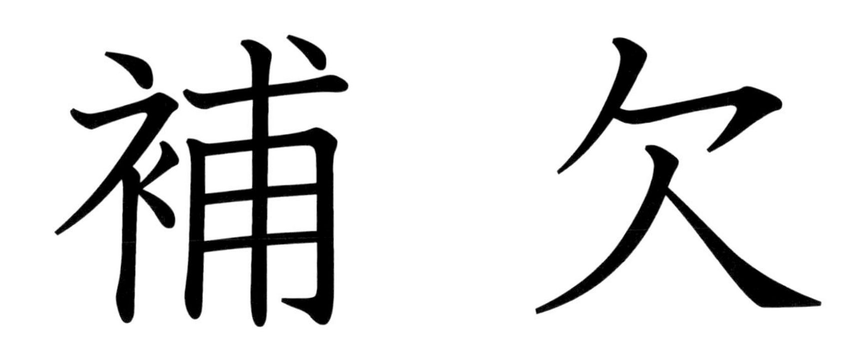

補欠選手が 二人 います。

六ー147ー㊊

よぶ

●十一課

六ー148ー㊊

ほけつ

班

ぼくの 班は 四人です。

学級日誌を 書く。

はん

●十一課 六ー150ー㊍

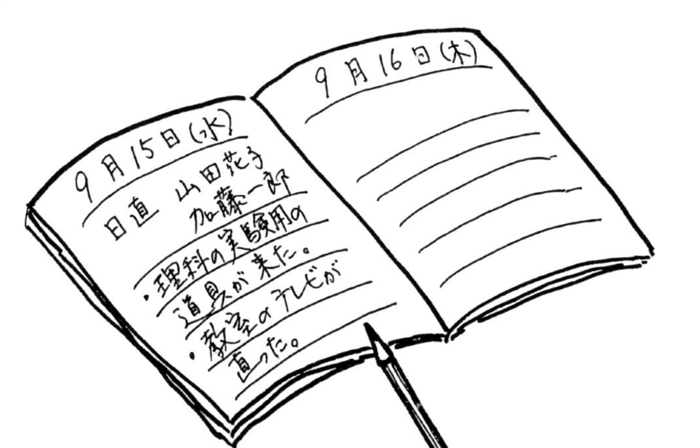

にっし

窓

窓に　カーテンを　つけた。

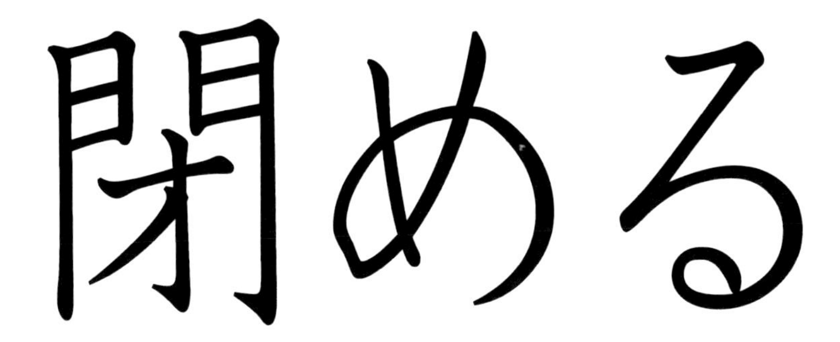

窓を　閉める。

六ー151ー㊍

まど

しめる

臨時

かぜの人が多くて、臨時休校になった。

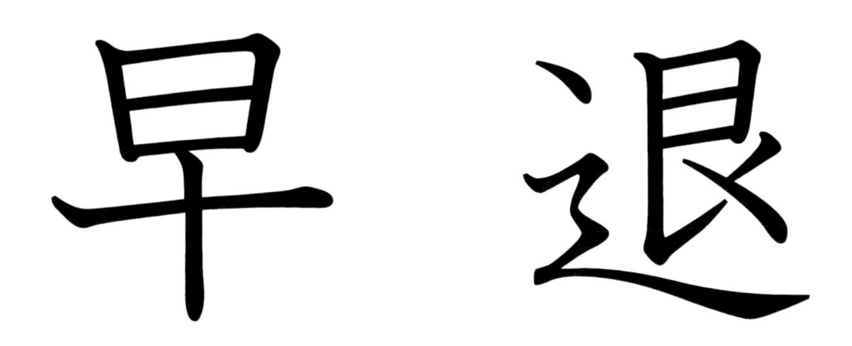

早退

頭が痛いので早退します。

●十一課

六－153－㊝

りんじ

●十一課　　六－154－㊝

そうたい

針

糸と 針

●十二課　　六－155－(絵)

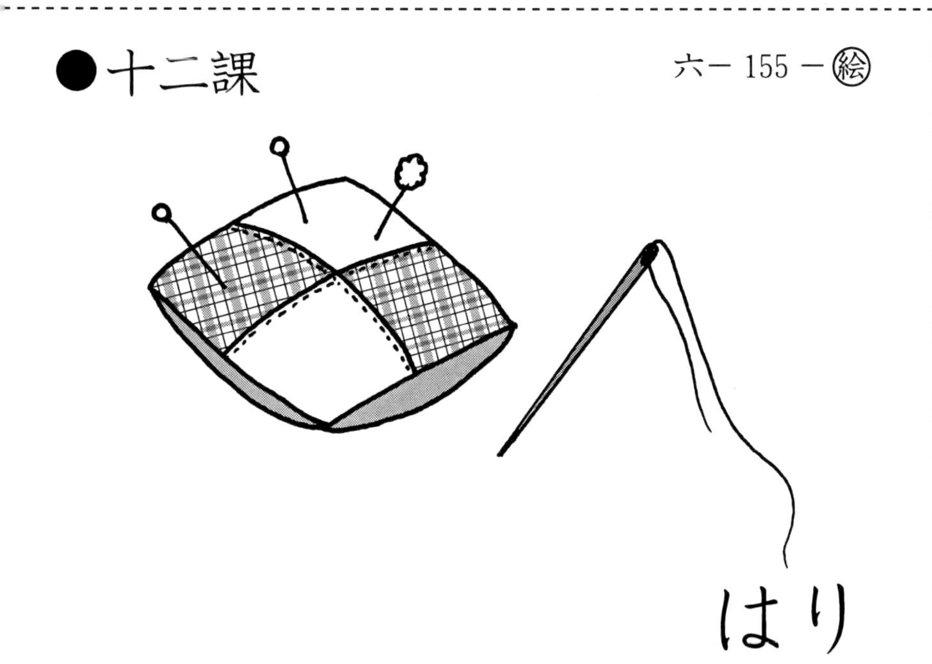

卵を 割る。

●十二課　　六－156－(絵)

たまご

牛　乳

牛乳を　飲む。

冷蔵庫

大きい　冷蔵庫

●十二課　　六ー157ー㊍絵

ぎゅうにゅう

●十二課　　六ー158ー㊍絵

れいぞうこ

砂糖

砂糖は　あまい。

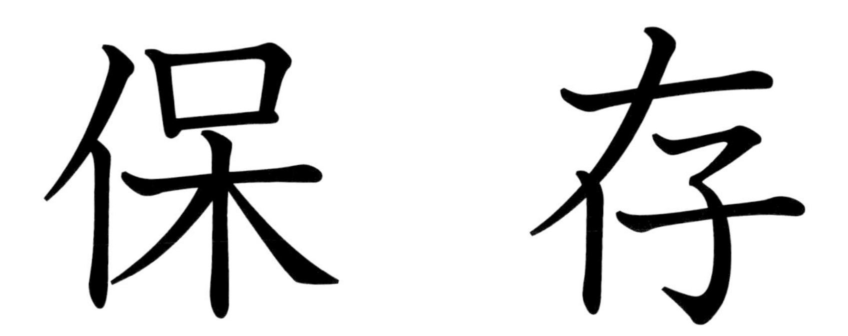

保存

冷蔵庫に　保存する。

●十二課　六－159－㊔

さとう

●十二課　六－160－㊔

ほぞん

洗たく

母は 洗たくが 好きです。

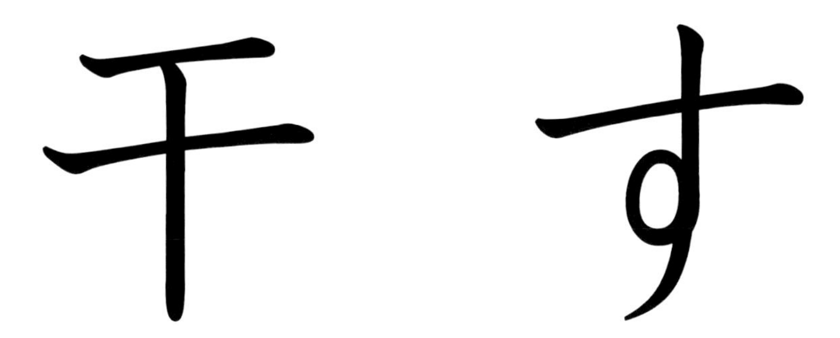

ふとんを 干しましょう。

●十二課　六ー161ー㊍

せんたく

●十二課　六ー162ー㊍

ほす

善意

善意で 集まった 物や お金を 送る。

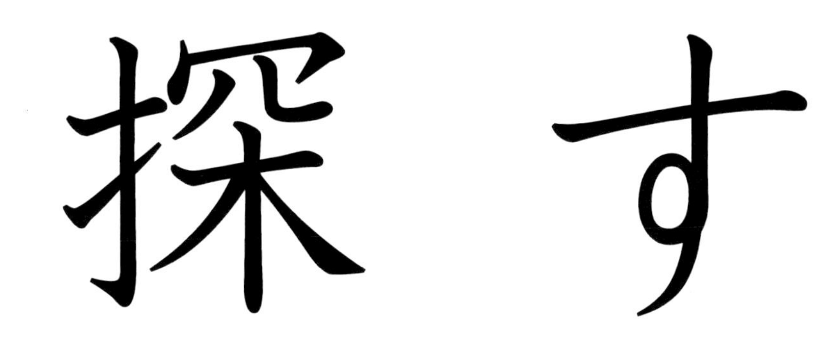

探す

針を 探す。

●十二課　六－163－㊍

ぜんい

●十二課　六－164－㊍

さがす

捨てる

ごみを 捨てる。

届ける

荷物を 届ける。

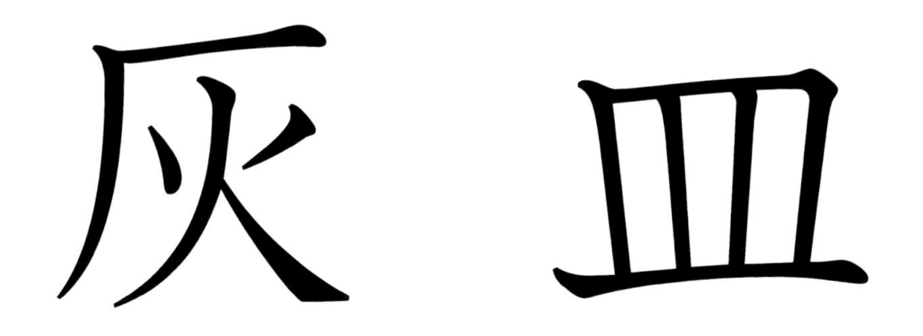

灰皿を 取ってください。

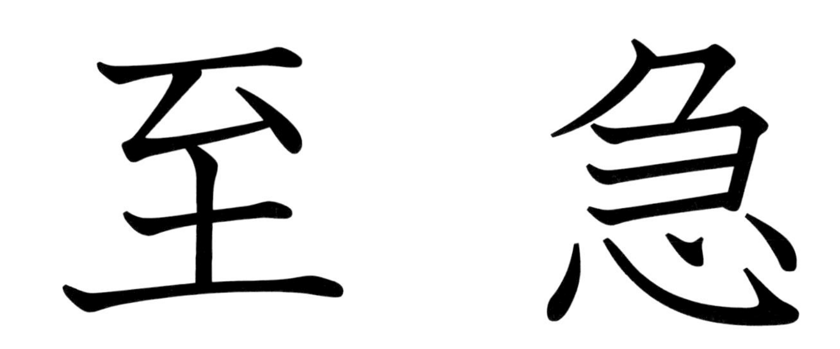

至急 これを 届けてください。

●十二課　　六ー 167 ー㊇

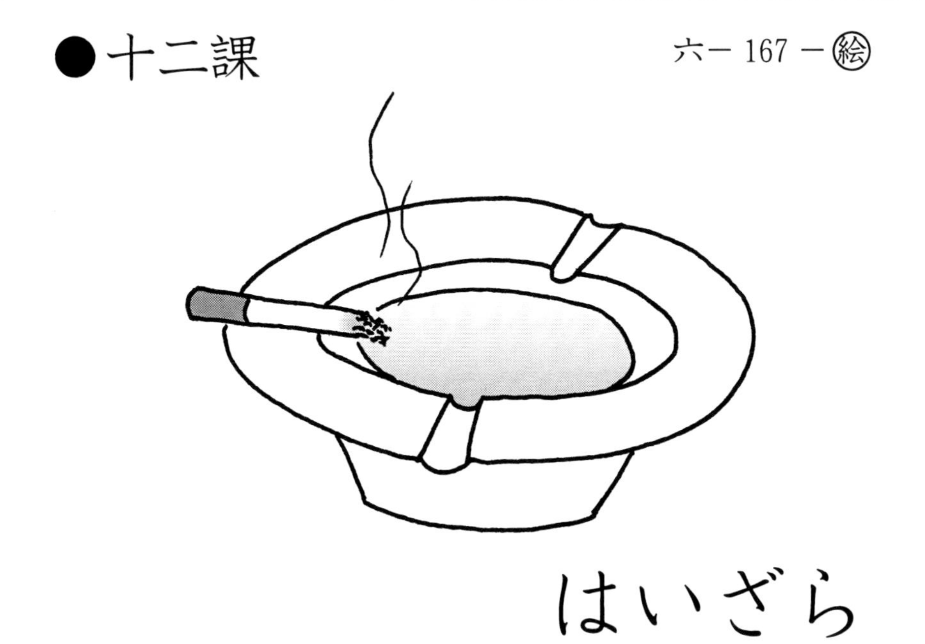

はいざら

●十二課　　六ー 168 ー㊇

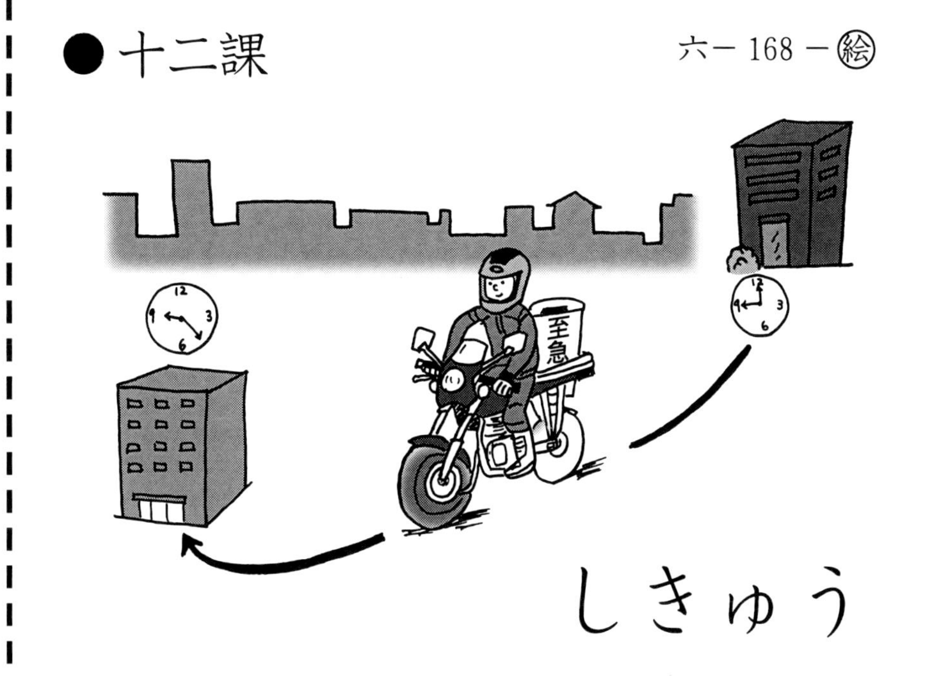

しきゅう

故　障

車が 故障してしまった。

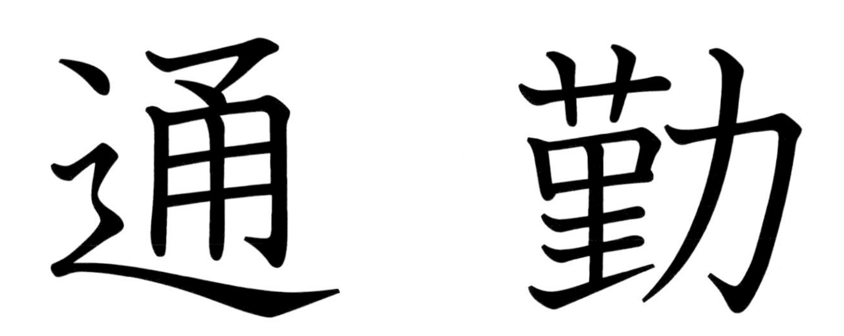

通勤ラッシュで 大変だ。

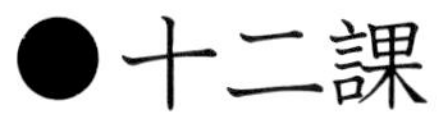
十二課　　六ー 169 ー㊔

こしょう

●十二課　　六ー 170 ー㊔

つうきん

裏

裏に　自分の　住所と　名前を　書く。

今日の　晩ごはんは　何かな。

●十三課　　六－171－㊎

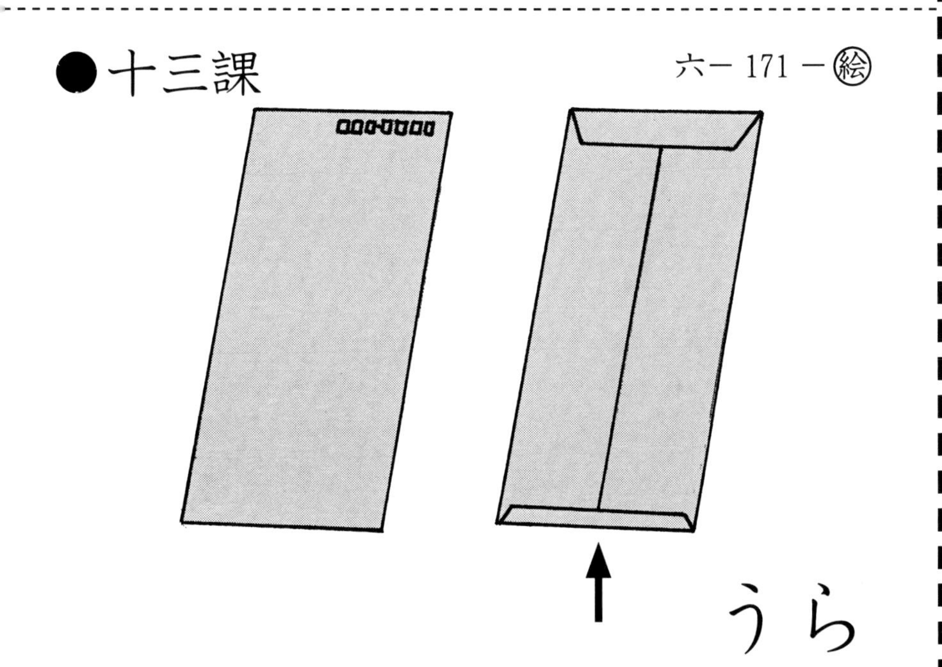

●十三課　　六－172－㊎

翌朝

前の 晩の 雨が 翌朝やんでいた。

時刻表

時刻表で バスの 時間を 見る。

●十三課　六－173－㊫

よくあさ

●十三課　六－174－㊫

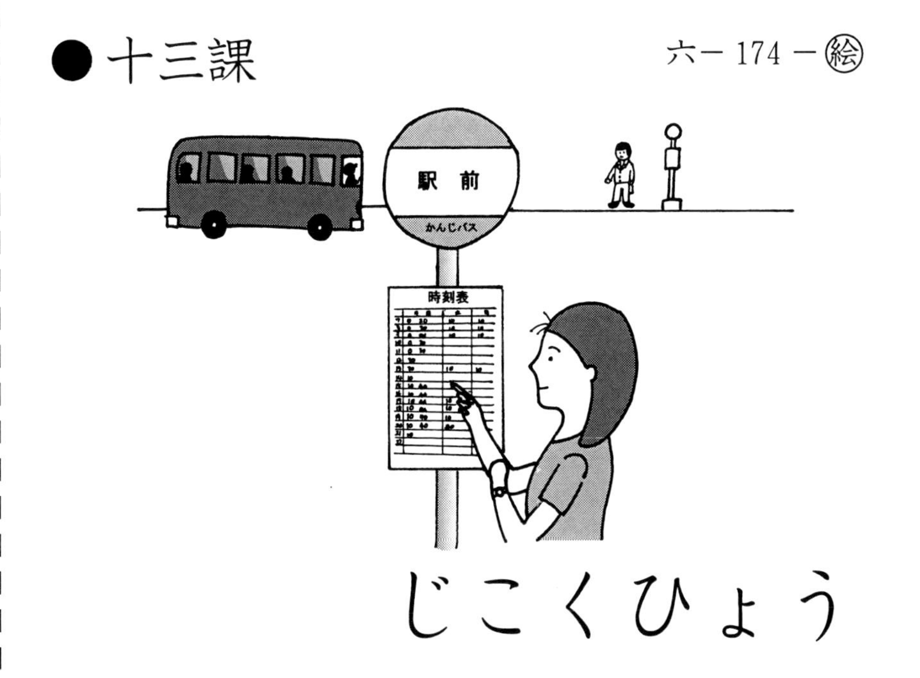

じこくひょう

値段

値段を 見て 買おう。

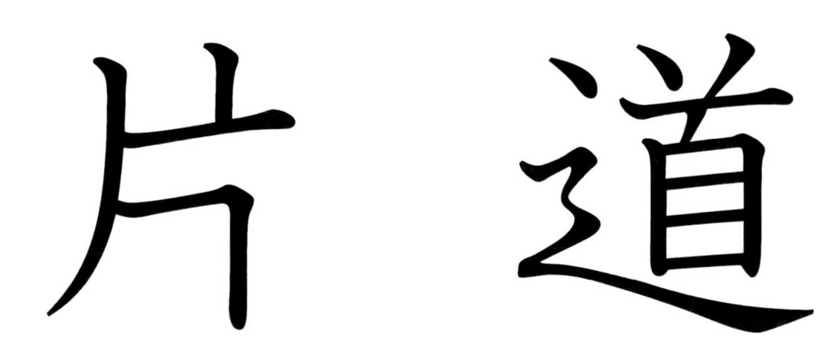

片道の 切符を 買う。

●十三課 六－175－㊓

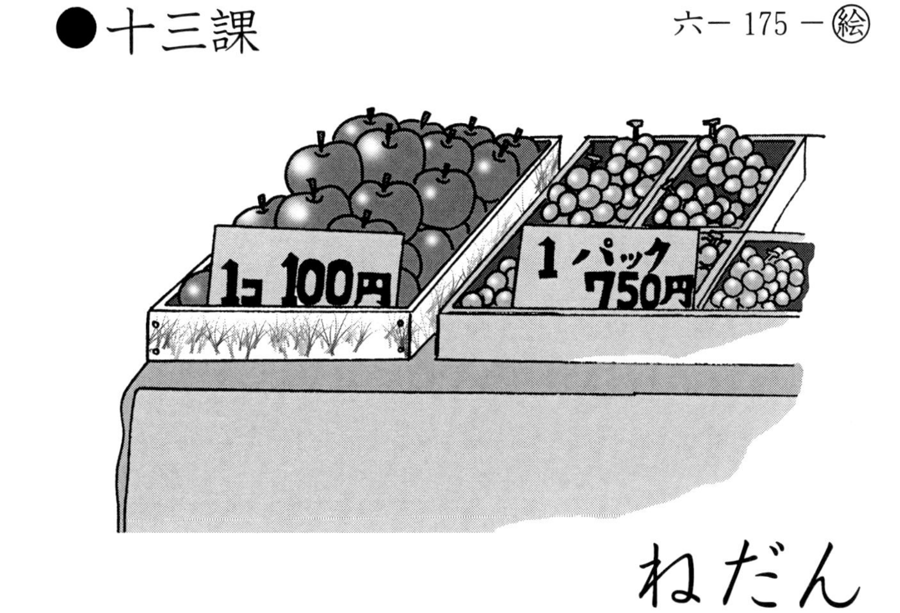

ねだん

●十三課 六－176－㊓

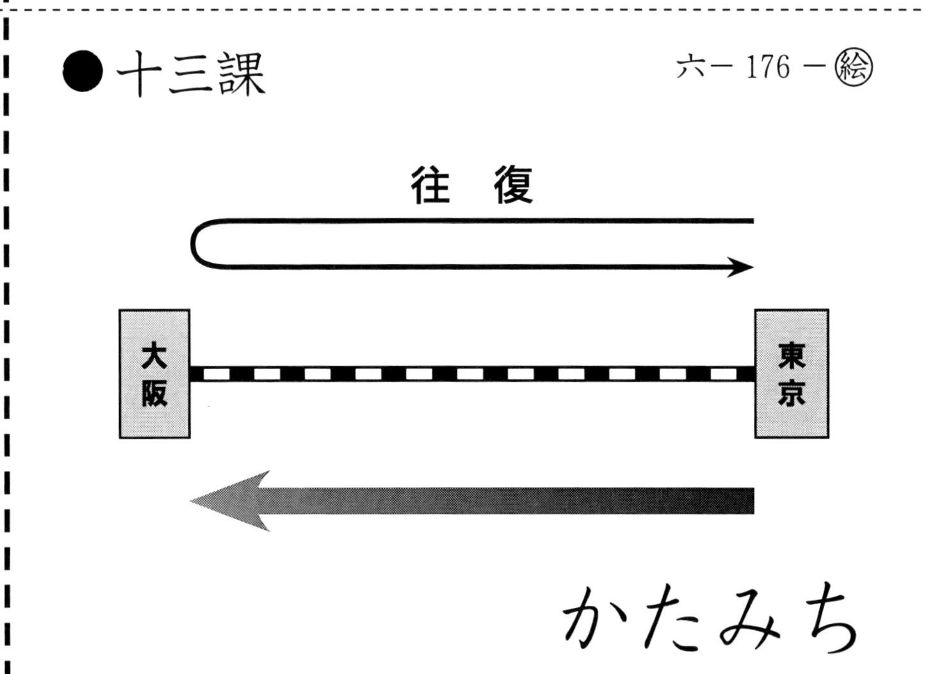

かたみち

運　賃

あの駅までの 運賃は いくら。

収　入

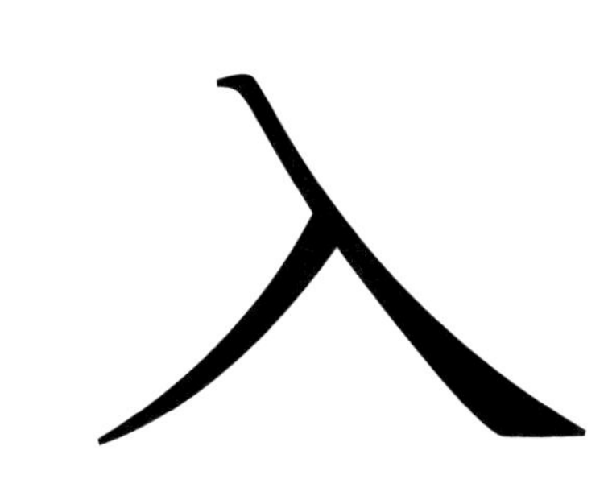

収入は 入ってくる お金のこと。

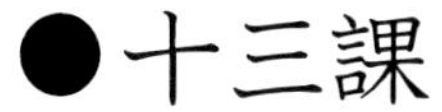

●十三課　　六ー177ー㊇

うんちん

●十三課　　六ー178ー㊇

しゅうにゅう

模型

船の 模型を 作る。

乱雑

乱雑な 机の 上

●十三課

六－179－㊎

もけい

●十三課

六－180－㊎

らんざつ

幼い

幼い 弟は かわいい。

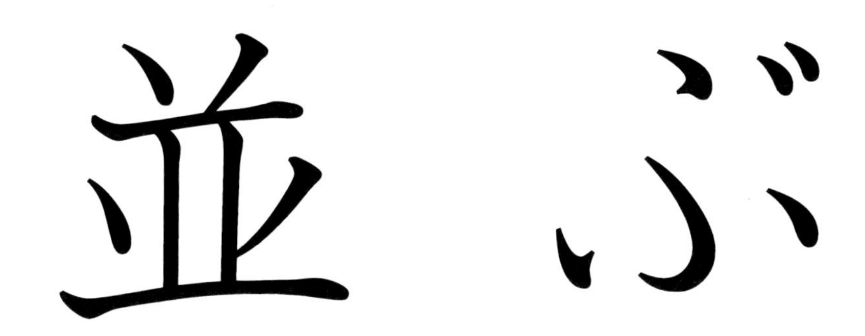

並んで 順番を 待つ。

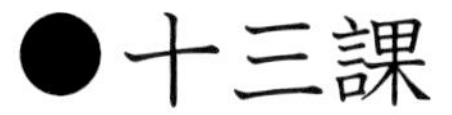

●十三課 六－181－絵

おさない

●十三課 六－182－絵

ならぶ

預ける

銀行にお金を預ける。

命を助けてくれた恩人です。

●十三課　六－183－㊇

あずける

●十三課　六－184－㊇

おんじん

乗車券

乗車券を　買う

●十三課

六－185－㊎

じょうしゃけん

●